Oscar scrittori moderni

Agatha Christie

Tutte le opere di Agatha Christie
sono presenti nella collezione Oscar

Agatha Christie

APPUNTAMENTO CON LA PAURA

Traduzioni di Maria Grazia Griffini e Lydia Lax

OSCAR MONDADORI

I edizione Tutti i racconti di Agatha Christie dicembre 1981
I edizione Oscar gialli luglio 1991

ISBN 978-88-04-50852-6

Questo volume è stato stampato
presso Mondadori Printing S.p.A.
Stabilimento NSM - Cles (TN)
Stampato in Italia. Printed in Italy

Ristampe:

18 19 20 21 22 23 24 25 26

2008 2009 2010 2011 2012 2013

La prima edizione Oscar scrittori del Novecento
(ora Oscar scrittori moderni) è stata pubblicata
in concomitanza con la quarta ristampa
di questo volume

Introduzione

Questo libro è come un pranzo di Natale preparato da un vero chef. E lo chef sono io! E il piatto forte è "L'avventura del dolce di Natale".

È questo un racconto di cui mi compiaccio poiché mi riporta alla mente con grande piacere i Natali della mia adolescenza. Dopo la morte di mio padre, mia madre ed io trascorrevamo sempre il Natale con la famiglia di mio cognato nel Nord dell'Inghilterra... e che fantastici Natali da ricordare per dei ragazzi! Ad Abney Hall c'era tutto. In giardino c'era perfino una cascata, un ruscello e un tunnel sotto il viale d'accesso alla villa. Il pranzo di Natale era di proporzioni pantagrueliche.

Io ero una ragazzina magra, delicata all'apparenza, ma sana come un pesce e sempre affamata! I ragazzi della famiglia ed io facevamo a gara a chi mangiava di più il giorno di Natale. La zuppa di ostriche e rombo andava giù che era un piacere e spariva in un batter d'occhio. Non mancavamo poi di fare onore al tacchino arrosto, a quello bollito e anche a un'enorme bistecca, servendoci una seconda e una terza volta. Infine veniva il momento del dolce di Natale, dei pasticcini di frutta candita, della zuppa inglese e di altre leccornie. Durante il pomeriggio poi, mangiavamo cioccolatini a crepapelle senza che nessuno si sentisse male! Che bello avere undici anni e poter essere così golosi!

Un giorno davvero allegro quello di Natale... svegliarsi e trovare accanto al letto calze imbottite di mandorle, uva passa e frutta secca, andare a messa, cantare, sedersi a tavola, ricevere regali e infine accendere le luci dell'albero.

E quanto sono grata a quella gentile e ospitale padrona di casa che ha reso quei giorni di Natale così belli e luminosi da essere ricordati ancora alla mia età.

Pertanto permettetemi di dedicare questo libro alla sua memoria e a quella di Abney Hall.

E Buon Natale a tutti quelli che si apprestano a leggere questo libro.

Agatha Christie

Appuntamento con la paura

Doppia colpa

Ero andato a trovare il mio amico Poirot che aveva un mucchio di lavoro, purtroppo, in quei giorni. Era diventato talmente celebre che ogni ricca signora che avesse perduto un bracciale o il gattino prediletto si precipitava ad assicurarsi i servizi del grande Hercule Poirot. Il mio piccolo amico era uno strano miscuglio di parsimonia fiamminga e di fervore artistico, e accettava molti casi anche se per lui di poco interesse, cedendo a quel primo istinto decisamente predominante.

Ma ne accettava anche altri in cui la ricompensa in denaro poteva essere modesta, se non addirittura nulla, perché il problema lo interessava. Il risultato era, come ho già detto, che aveva un mucchio di lavoro. Finì per ammetterlo anche con me e quindi non incontrai molta resistenza quando gli proposi di accompagnarmi a passare una settimana di vacanza a Ebermonth, la famosa località turistica della costa meridionale.

Avevamo già trascorso quattro giornate molto

piacevoli quando Poirot mi venne a cercare con una lettera aperta in mano.

« *Mon ami*, vi ricordate Joseph Aarons, quel mio amico che fa l'agente teatrale? »

Assentii dopo averci pensato un momento. Gli amici di Poirot erano così tanti e di un genere talmente vario! Ne aveva tutta una gamma che andava dagli spazzini ai duchi.

« *Et bien*, Hastings, Joseph Aarons si trova a Charlock Bay. Non sta affatto bene e, fra l'altro, ha un piccolo problema che lo assilla. Mi prega di andare a trovarlo e io credo, *mon ami*, che aderirò alla sua richiesta. È un amico fedele, il buon Joseph Aarons, e mi ha molto aiutato in passato. »

« Certamente, se lo credete opportuno » risposi. « Charlock Bay è un posto magnifico e non ci sono mai stato neanch'io. »

« Allora uniremo l'utile al dilettevole » disse Poirot. « Volete informarvi dei treni? »

« Probabilmente bisognerà cambiare un paio di volte » risposi con una smorfia. « Sapete bene come sono quegli accelerati di provincia! Qualche volta occorre una giornata intera di viaggio per andare dalla costa settentrionale alla costa meridionale del Devon! »

Dopo aver preso le dovute informazioni, scoprii che il viaggio si poteva fare con un solo cambio a Exeter e che i treni erano buoni. Stavo tornando in fretta con le informazioni da Poirot quando, passando per caso davanti agli uffici delle autolinee Speedy, vidi scritto in vetrina:

Domani. Escursione di una intera giornata a Charlock Bay. Partenza ore 8.30. Viaggio attraverso alcuni dei paesaggi più belli del Devon.

Andai a chiedere qualche notizia più precisa sulla gita e ritornai all'albergo pieno di entusiasmo. Disgraziatamente, trovai molto difficile convincere Poirot.

« Amico mio, cos'è questa passione per gli autobus? Il treno, è tanto più sicuro! Le gomme non scoppiano; gli incidenti non succedono. Non c'è troppa aria che dà fastidio. I finestrini possono essere chiusi, e non si sente nessuna corrente! »

Accennai garbatamente ai vantaggi dell'aria fresca che erano stati i primi ad attirarmi verso la gita in autobus.

« E se piove? Il vostro clima anglosassone è così incerto. »

« L'autobus ha un tetto che si può aprire e chiudere. E poi, se diluvia, l'escursione non si fa. »

« Ah! » disse Poirot. « Speriamo che piova. »

« Naturalmente, se pensate che... »

« No, no, *mon ami*. Ci tenete tanto a questa vostra gita in autobus! Quanto a me, ho il cappotto pesante e due sciarpe. » Sospirò. « Ma avremo tempo sufficiente a Charlock Bay? »

« Temo che bisognerà restarci a dormire. Vedete, l'itinerario della gita è questo: si passa da Dartmoor. Ci si ferma per il pranzo a Monkhampton. Si arriva a Charlock Bay verso le quattro e l'autobus riparte alle cinque, per ritornare qui alle dieci di sera. »

« Ah, è così! » disse Poirot. « E c'è gente che lo fa per divertimento! Naturalmente ci faranno una riduzione sul prezzo del biglietto, dal momento che non facciamo il viaggio di ritorno. »

« Temo che sia piuttosto improbabile. »

« Dovete insistere. »

« Via, Poirot, non fate il tirchio. Guadagnate soldi a palate! »

« Amico mio, non si tratta di tirchieria. Ma di senso degli affari. Se fossi un milionario, farei lo stesso: sarei disposto a pagare soltanto il giusto. »

Come avevo previsto, Poirot era destinato a vedere fallire le proprie speranze su questo punto. L'impiegato che vendeva i biglietti allo sportello degli uffici delle autolinee Speedy fu calmo, impassibile, ma irremovibile. La sua opinione era che dovevamo tornare con l'autobus. Anzi arrivò addirittura a insinuare che avremmo dovuto pagare un supplemento extra per il vantaggio che ci veniva offerto di poter lasciare l'autobus a Charlock Bay.

Sconfitto, Poirot pagò la somma richiesta e lasciò l'ufficio.

« Gli inglesi non hanno il senso del denaro. » Brontolò. « Non avete notato, Hastings, quel giovanotto che ha pagato la tariffa intera e ha accennato alla eventualità di fermarsi addirittura a Monkhampton? »

« Non mi pare. A dire la verità... »

« Già, stavate osservando quella bella ragazza che ha fissato il posto numero cinque, quello vicino al vostro. Ah sì, amico mio, vi ho visto! Ed è per questo motivo che, mentre io stavo per prenotare i posti tredici e quattordici, che sono centrali e quindi più riparati degli altri dalle correnti d'aria, vi siete spinto avanti, in modo scortese davvero!, e avete detto che i numeri tre e quattro andavano meglio! »

« Via, Poirot » borbottai arrossendo.

« Capelli castano con riflessi ramati: sempre quei riflessi ramati! »

« Valeva comunque la pena di guardare lei piuttosto che quello strano giovanotto! »

« Dipende dai punti di vista. Secondo me il giovanotto era interessante. »

Qualcosa di curioso nell'intonazione di Poirot mi spinse a lanciargli una rapida occhiata. « Perché? Cosa volete dire? »

« Oh! Non agitatevi. Vi dirò che mi interessava perché stava cercando di farsi crescere i baffi e, finora, i risultati non erano soddisfacenti. » Poirot accarezzò delicatamente i suoi splendidi mustacchi. « È un'arte » mormorò « quella di farsi crescere i baffi! E io sento una grande simpatia per tutti coloro che ci si provano. »

Con Poirot è sempre molto difficile capire se parla seriamente oppure se si sta divertendo a spese del suo prossimo. Pensai che era più opportuno non aggiungere altro.

Il mattino seguente il tempo era magnifico e splendeva il sole. Una giornata davvero stupenda! Poirot, comunque mi fece chiaramente capire che non voleva correre rischi. Si mise un panciotto di lana e l'impermeabile. Sull'impermeabile indossò un cappotto e si avvolse intorno al collo due sciarpe. Non solo, ma portava anche il suo vestito di lana più pesante. Prima di partire inghiottì un paio di compresse antinfluenzali e si munì di una congrua scorta di altre dello stesso genere.

Con noi, avevamo un paio di valigette. Ne aveva una anche la graziosa ragazza notata il giorno prima e osservai che ne portava una con sé anche il giovanotto che, a quanto mi era sembrato di capire, aveva attirato l'interesse di Poirot. Quanto gli altri partecipanti alla gita, nessuno era fornito di bagaglio. Il conducente si preoccupò di sistemare le valige nel bagagliaio e ognuno salì al proprio posto.

Poirot, con un tocco di malizia (almeno così pensai), scelse per sé il posto vicino alla graziosa ragazza e mi assegnò l'altro dei due che avevamo prenotato. Però si affrettò quasi subito a fare ammenda per quel suo gesto. L'uomo che occupava il numero 6 era un tizio rumoroso e buontempone, con la barzelletta sempre pronta, e Poirot chiese a bassa voce alla ragazza se non voleva cambiare posto con lui. Lei accettò immediatamente, con visibile gratitudine, e una volta avvenuto il cambiamento, si mise a conversare con noi. Poco dopo chiacchieravamo allegramente tutti e tre.

Evidentemente era molto giovane (non doveva avere più di diciannove anni) e ingenua come una bambina. Ci confidò quasi subito la ragione del suo viaggio. A quanto ci sembrò di capire, aveva da svolgere un incarico per la zia, proprietaria di un interessantissimo negozio di antichità a Ebermouth.

Questa zia si era trovata in ristrettezze finanziarie in seguito alla morte di suo padre e aveva pensato di dedicarsi al commercio degli oggetti antichi sfruttando un piccolo capitale e il bellissimo arredamento della casa che il padre le aveva lasciato. Aveva avuto un grande successo e, nel suo ambiente, si era fatta un nome. La ragazza, Mary Durrant, era andata a vivere con la zia per imparare quella professione che le piaceva moltissimo e che preferiva notevolmente all'altra alternativa che, altrimenti, le sarebbe stata offerta: quella di diventare istitutrice o dama di compagnia.

Poirot annuì interessato: approvava anche lui quella scelta.

« Madamoiselle avrà successo, ne sono certo » disse galantemente. « Ma voglio darvi un piccolo consiglio. Non abbiate troppa fiducia del vostro prossimo, madamoiselle. Nel mondo ci sono tanti mascalzoni, tanti furfanti; ce ne possono essere perfino qui sull'autobus con noi. Bisognerebbe stare sempre in guardia, essere sempre sospettosi! »

Lei rimase a guardarlo a bocca aperta, e Poirot fece ancora segno di sì con un'espressione piena di saggezza.

« Ma certo, proprio come dico io. Chi lo sa? Perfino io, che sto parlando con voi adesso, potrei essere un malfattore della peggior specie. »

E strizzò l'occhio allegramente di fronte alla sua faccia stupita.

Ci fermammo a Monkhampton per il pranzo e, dopo aver mormorato qualche parola al cameriere, Poirot riuscì ad assicurarsi un tavolo per tre vicino alla finestra. Nel cortile erano parcheggiati almeno una ventina di pullman provenienti da ogni parte della contea. La sala da pranzo dell'albergo era piena e il frastuono considerevole.

« Certe volte lo "spirito delle vacanze" può anche dar noia » osservai con una smorfia.

Mary Durrant fu d'accordo con me. « Ebermouth, adesso, è completamente rovinata, d'estate. Mia zia dice sempre che, una volta, era diverso. Ora non si riesce a camminare sul marciapiede per la gran folla! »

« Ma è utile per il commercio, mademoiselle. »

« Per il nostro, non particolarmente. Noi vendiamo soltanto oggetti rari e preziosi. Non abbiamo *bric-à-brac* da poco prezzo. Mia zia ha clienti in tutta l'Inghilterra. Se vogliono un tavolo o una sedia di un determinato periodo, oppure una porcellana particolare, le scrivono e, presto o tardi, lei procura il pezzo richiesto. È proprio quello che è successo in questo caso. »

La guardammo con interesse e lei si affrettò a spiegarci il perché. Un americano, un certo J. Baker Wood, era un conoscitore e collezionista di miniature. Qualche tempo prima era stata offerta sul mercato d'antiquariato una serie di miniature preziosissime e la signora Elizabeth Penn, la zia di Mary, le aveva comprate. Aveva scritto al signor Wood descrivendogliele e proponendogli un prezzo per l'intera serie. Lui aveva risposto immediatamente, dichiarando che era disposto ad acquistarle se le miniature erano davvero come venivano descritte e chiedendo che gli fossero portate da qualcuno, mentre si trovava a Charlock Bay per poterle esaminare. E così lei, in qualità di rappresentante della ditta, stava portando le miniature.

« Sono deliziose, naturalmente » disse, « ma non riesco a immaginare come una persona possa spendere, per averle, tutti quei soldi. Cinquecento sterline! Sono di Cosway? Sí, Cosway, oppure mi sbaglio? Mi confondo così facilmente! »

Poirot sorrise: « Non avete molta esperienza eh, madamoiselle? »

« Manco di qualsiasi preparazione » disse Mary con tristezza. « Non mi hanno mai insegnato niente nel campo dell'antichità, e c'è tanto da imparare. »

Sospirò. Poi d'un tratto sbarrò gli occhi.

Era seduta di fronte alla finestra e adesso il suo sguardo era fisso sul cortile. Mormorando rapidamente qualche parola di scusa, si alzò di scatto e uscì dalla sala da pranzo quasi correndo. Tornò qualche minuto dopo, un po' ansante e imbarazzata.

« Scusate se sono scappata via in quel modo. Mi era sembrato di vedere un uomo che prendeva la mia valigetta dal pullman. Gli sono corsa dietro e poi ho scoperto che, invece, si trattava della sua. Assomiglia moltissimo a quella che ho io. Mi sono sentita così sciocca! Sembrava che volessi accusarlo di avermela rubata! »

E scoppiò a ridere a quell'idea.

Poirot non rise affatto. « Di chi si trattava madamoiselle? Descrivetemi quest'uomo. »

« Aveva un vestito marrone. Un giovanotto molto esile, con un paio di baffetti appena accennati. »

« Ah! » esclamò Poirot. « Il nostro amico di

ieri, Hastings. Madamoiselle, conoscete questo giovanotto? Lo avete mai visto prima? »

« No, mai. Perché? »

« Niente. Abbastanza curioso... ecco. » E si chiuse in un ostinato silenzio, senza più prendere parte alla nostra conversazione finché non fu strappato dal suo mutismo con qualcosa che disse ancora Mary Durrant.

« Come avete detto, madamoiselle? »

« Ho detto che durante il viaggio di ritorno dovrò stare attenta ai "malfattori", come li chiamate voi. Credo che il signor Wood paghi sempre i suoi acquisti in contanti. E se avrò con me biglietti di banca per cinquecento sterline, finirò per richiamare l'attenzione di qualcuno di loro! »

Rise, ma anche questa volta non riuscì a strappare un sorriso a Poirot, che invece le chiese in quale albergo avrebbe alloggiato a Charlock Bay.

« All'Ancora. È piccolo e non è caro, ma molto buono. »

« Ma guarda! » disse Poirot. « All'Ancora. Proprio dove avevamo deciso di prendere le camere anche Hastings e io. Che strano! »

E mi strizzò l'occhio.

« Vi fermate molto a Charlock Bay? » domandò Mary.

« Soltanto una notte. Ho qualche affare da sbrigare laggiù. Però sono sicuro che voi, madamoiselle, non sareste capace di indovinare qual è la mia professione. »

Notai che Mary prendeva in considerazione diverse possibilità e finiva poi per scartarle tutte, forse per prudenza. Alla fine azzardò l'ipotesi che

Poirot potesse essere un prestigiatore. Il mio amico ne rimase incredibilmente divertito.

« Che idea! Credete che tiri fuori i conigli dal cappello? No, madamoiselle! Io sono l'opposto di un prestigiatore! Faccio ricomparire le cose che scompaiono! » E si chinò in avanti, con un gesto enfatico, per dare maggior efficacia a quello che stava per dire: « È un segreto, mademoiselle, ma ve lo confiderò ugualmente: faccio l'investigatore. »

E si appoggiò allo schienale della sedia soddisfatto dell'effetto che aveva ottenuto. Mary Durrant lo fissava ammutolita.

La conversazione non poté prolungarsi perché un suono di clackson ci annunciò che dovevamo prepararci a ripartire.

Mentre uscivo con Poirot feci qualche commento sull'incantevole fascino della nostra compagna di tavola. Poirot si dichiarò d'accordo con me.

« Si, è incantevole. Ma non è anche un po' sciocca? »

« Sciocca? »

« Suvvia, non offendetevi. Una ragazza può essere bellissima, avere i capelli con i riflessi ramati ma essere ugualmente una scioccherella. È il massimo della idiozia fare a due perfetti sconosciuti le confidenze che lei ci ha fatto. »

« Si sarà resa conto che eravamo due persone perbene. »

« Quella che dite, amico mio, è una stupidaggine. La piccola sciocca ha dichiarato che dovrà stare attenta quando avrà con sé cinquecento sterline. Ma ce le ha anche adesso! »

« In miniature. »

« Precisamente. In miniature. E fra una cosa e l'altra non c'è poi una gran differenza, *mon ami*! »

« Ma non lo sa nessuno, eccetto noi. »

« E il cameriere e le persone che erano sedute al tavolo vicino al nostro. E, senza dubbio, qualche altro a Ebermouth! Mademoiselle Durrant è affascinante, ma se io fossi la signora Elizabeth Penn, prima di tutto, insegnerei alla mia assistente un po' di buon senso! » Tacque per un attimo, e poi disse, con voce del tutto differente: « Vedete amico mio, sarebbe la cosa più facile del mondo portar via una valigia da uno di questi pullman mentre sono tutti a tavola! »

« Ma, Poirot, qualcuno potrebbe sempre vedere. »

« E cosa vedrebbe? Una persona che prende il suo bagaglio dal pullman. Naturalmente se ci si comporta in un modo molto disinvolto, nessuno può avere motivo di ficcare il naso in cose che non lo riguardano. »

« Volete dire..., Poirot, state forse insinuando che... Ma quel giovanotto vestito di marrone... era proprio la sua valigetta? »

Poirot si accigliò. « Così sembrerebbe. D'altra parte, Hastings, è un po' strano che non sia andato a ritirare la valigetta prima, appena siamo arrivati qui. E avrete osservato che non era a pranzo con noi. »

« Se la signorina Durrant non avesse scelto a tavola il posto di fronte alla finestra, non l'avrebbe neppure notato » mormorai, come parlando tra me.

« Ma dal momento che quel tizio ha preso proprio la sua valigetta, non ha importanza » disse Poirot. « Non pensiamoci più, *mon ami.* »

Ciononostante, quando riprendemmo i nostri posti e ripartimmo a gran velocità, ne approfittò per dare a Mary Durrant una lezione sui pericoli dell'indiscrezione che lei accolse bonariamente, ma con l'aria di considerarla una presa in giro.

Arrivammo a Charlock Bay verso le quattro e fummo tanto fortunati da trovare due camere all'Ancora, una pensioncina deliziosa, dall'aria vecchiotta, situata in una stradicciola poco frequentata. Poirot aveva appena tirato fuori dalla sua valigia il minimo indispensabile e stava applicando qualche cosmetico ai folti mustacchi in preparazione della visita che era in procinto di fare a Joseph Aarons, quando si sentì bussare freneticamente alla nostra porta.

Gridai: « Avanti! » e, con profonda sorpresa, vidi apparire Mary Durrant, pallidissima e con gli occhi pieni di lacrime.

« Vi chiedo scusa, ma mi è successa una cosa terribile, la peggiore che potesse capitarmi » disse rivolgendosi a Poirot. « Non mi avevate detto di essere investigatore? »

« Che cosa è successo, mademoiselle? »

« Ho aperto la mia valigetta. Le miniature erano in un astuccio di coccodrillo... chiuso a chiave, naturalmente. E ora, guardate! »

Mary Durrant gli mostrò un piccolo astuccio quadrato di coccodrillo. Il coperchio penzolava dalla cerniera. Poirot lo prese fra le mani. L'astuccio era stato forzato: e con che vigore! I segni erano fin troppo visibili, Poirot lo esaminò e annuì.

« Le miniature? » domandò.

« Sparite. Sono state rubate. E adesso? Cosa faccio? »

« Non preoccupatevi » dissi. « Il mio amico è Hercule Poirot. Dovete pur aver sentito parlare di lui! »

« Monsieur Poirot! Il grande monsieur Poirot! »

Poirot era tanto vanesio da non poter nascondere il suo compiacimento di fronte allo stupore riverente della ragazza. « Sì, bambina mia » disse. « Sono proprio io. Mettete pure nelle mie mani questa faccenda. Farò tutto il possibile. Ma ho paura, ho molta paura che sia troppo tardi. Ditemi, anche la serratura della vostra valigetta è stata forzata? » Lei scosse la testa.

« Per favore, fatemela vedere. »

Andammo insieme nella sua camera e Poirot osservò con ogni cura la valigetta. Era stata aperta con la chiave, su questo non c'era dubbio.

« Abbastanza semplice, fra l'altro. Le serrature di tutte le valige si assomigliano. *Eh bien*, bisogna telefonare alla polizia e metterci in contatto con il signor Baker Wood senza perdere un minuto! Me ne occupo io. » Andai con lui e gli domandai cosa aveva voluto dire, affermando che era troppo tardi.

« *Mon cher*, ho detto, proprio oggi, di essere l'opposto del prestigiatore... che io faccio ricomparire le cose scomparse... Ma supponiamo che qualcuno mi abbia preceduto. Non capite? Fra un minuto, tutto vi sarà chiaro. »

E scomparve nella cabina del telefono. Ne uscì cinque minuti più tardi con un'espressione molto grave. « Proprio come temevo. Mezz'ora fa una signora si è presentata al signor Wood con le miniature. Ha detto di venire da parte della signorina Penn. Lui le ha trovate magnifiche e le ha subito comperate, pagandole in contanti. »

« Mezz'ora fa, prima del nostro arrivo qui... »

Poirot ebbe un sorrisetto enigmatico. « Gli autobus della Speedy, saranno velocissimi, ma una macchina poteva arrivare qui, da Monkhampton, un'ora prima di noi. »

« E adesso, cosa facciamo? »

« Caro Hastings, sempre così pratico, voi! Informiamo la polizia e... sì, credo proprio che avremo anche un colloquio con il signor Backer Wood. »

Il programma venne seguito a puntino. La povera Mary Durrant era sconvolta e temeva che la zia avrebbe dato a lei la colpa di quello che era successo.

« Probabilmente lo farà » osservò Poirot mentre ci incamminavamo verso l'Hotel Bellavista dove alloggiava il signor Wood. « E con ragione. Ma pensate un po'! Come si fa a lasciare oggetti per un valore di cinquecento sterline in una valigetta e andarsene tranquillamente a pranzo? Ad ogni modo, *mon ami*, in questa storia ci sono un paio di punti molto curiosi. Quell'astuccio, perché è stato forzato? »

« Per tirarne fuori le miniature. »

« Ma è una stupidaggine? Immaginiamo che il nostro ladro, all'ora di pranzo, sia andato ad armeggiare fra le valige con il pretesto di tirare fuori la propria. Non sarebbe stato più semplice aprire la valigetta, trasferire l'astuccio chiuso nella propria e andarsene, senza perder tempo a forzare la serratura? »

« Voleva assicurarsi che ci fossero dentro le miniature! »

Poirot non mi sembrò molto convinto, ma in quel momento ci fecero entrare nel piccolo appartamento che il signor Wood occupava all'albergo e non ci fu più tempo per prolungare la discussione.

Provai immediatamente una grande antipatia per lui.

Era un omone dall'aspetto volgare, vestito con eccessiva ricercatezza, che portava un anello con un grosso brillante. Era agitato, e chiassoso.

Naturalmente, non aveva avuto alcun sospetto. E perché? Quella donna aveva con se le miniature. E bellissime per di più! I numeri delle banconote con cui le aveva pagate? No, non aveva pensato ad annotarli. E chi era questo signor... ehm... Poirot... Per venirgli a fare tutte quelle domande?

« Non vi chiederò più niente, monsieur, ad eccezione di una sola cosa. Vorrei che mi descriveste la donna che è venuta con le miniature. Era giovane e graziosa? »

« Nossignore, niente affatto. Assolutamente, no! Una donna alta, di mezza età con i capelli grigi, la pelle del viso a chiazze violacee e un po' di peluria sul labbro superiore. »

« Baffetti... Avete sentito, eh, Poirot » esclamai mentre ce ne andavamo.

« Sì, grazie, Hastings, non ho ancora perduto l'uso delle orecchie! »

« Che uomo sgradevole! »

« Ah, non ha certamente un modò di fare simpatico! »

« Ormai dovremmo identificare il ladro senza difficoltà » osservai.

« Siete una persona candida, Hastings. Non sapete che esiste ciò che si chiama alibi? »

« Credete che abbia un alibi? »

Poirot rispose con una frase imprevedibile: « Lo spero sinceramente per lui ».

« Il guaio, vedete » cominciai « è questo: a voi piacciono le cose difficili. »

« Avete perfettamente ragione, *mon ami*. Non mi piace, come si potrebbe dire?, l'uccello che sta fermo sul ramo. »

La profezia di Poirot fu pienamente giustificata. Il nostro compagno di viaggio con il vestito marrone risultò un certo Norton Kane, che si era diretto subito all'albergo George di Monkhampton e ci era rimasto tutto il pomeriggio. L'unica prova contro di lui era quella fornita dalla signorina Durrant, la quale aveva dichiarato di averlo visto estrarre la valigetta dal bagagliaio del pullman mentre eravamo a pranzo.

« Il che, in se stesso, non è un gesto che possa suscitare sospetti » osservò Poirot, meditabondo.

Dopo questa affermazione, sprofondò in un lungo silenzio rifiutandosi di discutere ulteriormente l'argomento e dicendo, se insistevo per sapere qualcosa di più, che stava meditando sui baffi, in generale, e che mi consigliava di fare altrettanto.

Venni a sapere che aveva chiesto a Joseph Aarons di fornirgli tutte le informazioni che poteva raccogliere sul signor Baker Wood. Dato che stavano tutti e due nello stesso albergo, c'era la possibilità che Aarons potesse ottenere qualche notizia più facilmente di noi. Se riuscì a sapere qualcosa, se la tenne per se.

Mary Durrant, dopo vari colloqui con la polizia, era tornata a Ebermouth con uno dei primi treni del mattino. Noi pranzammo con Joseph Aarons e, dopo il pranzo, Poirot mi annunciò che aveva risolto nel modo più soddisfacente il problema dell'agente teatrale e che potevamo ritornare a Ebermouth quando volevamo.

« Ma non con l'autobus, *mon ami*; questa volta prenderemo il treno. »

« Avete paura che vi rubino il portafogli o non avete voglia di incontrare un'altra damigella nei guai? »

« Sono due cose, Hastings, che potrebbero capitarmi anche in treno. No, ho fretta di rientrare a Ebermouth perché voglio proseguire le indagini di quel caso. »

« Quale caso? »

« Ma sì, amico mio. Mademoiselle Durrant mi aveva supplicato di aiutarla. Per il semplice fatto che ormai la faccenda è nelle mani della polizia, non vedo perché non dovrei più interessarmene. Sono venuto qui per fare un piacere a un vecchio amico, ma non si potrà mai dire che Hercule Poirot abbia abbandonato al suo destino una persona sconosciuta nel momento del bisogno! » e si rizzò su tutta la sua statura con aria magniloquente.

« Secondo me, avevate un interesse per questo caso già da parecchio tempo prima » ribattei. « Nell'ufficio delle autolinee, quando avete adocchiato per la prima volta il giovanotto, anche se non riesco a capire che cosa potesse aver attirato la vostra attenzione. »

« No, davvero, Hastings? Eppure dovrebbe essere facile! Bene, bene, rimarrà un mio piccolo segreto. »

Ci fu anche un breve colloquio con l'ispettore di polizia incaricato delle indagini prima della nostra partenza. L'ispettore aveva interrogato Norton Kane e aveva detto a Poirot, in confidenza, che il comportamento del giovanotto l'aveva colpito piuttosto sfavorevolmente.

« Ma non riesco a capire quale sia stato il trucco di cui si è servito. Proprio non lo so » aveva ammesso. « Potrebbe aver affidato la refurtiva a un complice, a bordo di una macchina più veloce del pullman. Ma è solo una teoria. Per avere una conferma, dovremmo trovare il complice e l'automobile. » Poirot annuì pensieroso.

« Credete che i fatti si siano svolti in questo modo? » gli domandai, quando fummo seduti in treno.

« No, amico mio, non si sono svolti così. Ma in un modo molto più abile e intelligente. »

« Non volete dirmelo? »

« Non ancora. Mi conoscete, è una mia debolezza. Mi piace conservare i miei piccoli segreti fino alla fine. »

« E la fine sarà prossima? »

« Molto prossima, ormai. »

Arrivammo a Ebermouth che erano appena passate le sei e Poirot si fece condurre immediatamente da un tassì a un negozio sull'insegna del quale c'era scritto "Elizabeth Penn". Era chiuso, ma Poirot suonò il campanello e poco dopo Mary si presentò alla porta.

« Entrate, entrate per favore. Conoscerete la zia » disse.

E ci fece passare nel retrobottega. Un'anziana signora venne avanti: aveva i capelli candidi e sembrava quasi una miniatura anche lei, con quella carnagione bianca e rosea e gli occhi celesti! Sulle spalle curve portava una mantellina di merletto antico, di valore incalcolabile.

« Voi sareste il grande monsieur Poirot? » domandò con una voce piuttosto bassa e ben modulata. « Mary mi ha detto tutto. Non riesco a crederci. E ci aiuterete? Ci darete un consiglio per uscire da questa situazione? »

Poirot la fissò un momento e poi si inchinò.

« Mademoiselle Penn... l'effetto è incantevole. Ma dovreste davvero farvi crescere i baffi. »

La signorina Penn si lasciò sfuggire un'esclamazione soffocata di stupore, e fece qualche passo indietro.

« Ieri non siete venuta in negozio, vero? »

« Ci sono stata al mattino. Poi mi è venuto un tremendo mal di testa e sono andata direttamente a casa. »

« Non a casa, mademoiselle. Per farvi passare il mal di testa avete provato un cambiamento d'aria, non è vero? L'aria di Charlock Bay è molto corroborante. »

Mi prese per un braccio e mi sospinse verso la porta. Qui si fermò e continuò a parlare, voltando appena la testa a guardarla. « Dovete capire che so tutto. Questa piccola... farsa... deve cessare. »

C'era una sfumatura di minaccia nella sua voce. La signorina Penn, pallidissima, annuì senza dire parola. Poirot si rivolse alla ragazza.

« Mademoiselle » disse in tono pieno di gentilezza, « siete giovane e bella. Ma se continuerete a partecipare a questi piccoli affari, la bellezza e il fascino che avete, finiranno nascosti dietro le mura di una prigione e io, Hercule Poirot, vi dico che sarebbe un vero peccato! »

Poi uscì in strada e io lo seguii sbalordito.

« Ho provato un grande interesse fin dal principio, *mon ami*. Quando quel giovanotto ha prenotato il posto solo fino a Monkhampton, ho visto che la ragazza lo aveva subito adocchiato e gli aveva rivolto tutta la sua attenzione. Ora mi domando: perché? Non è il tipo che si fa guardare da una donna per il suo aspetto, quello! Quando siamo partiti, ho avuto subito l'impressione che dovesse succedere qualcosa. Chi ha visto quel giovanotto armeggiare tra le valige? Mademoiselle, e mademoiselle soltanto! E non dimentichiamo il posto che ha scelto a tavola, di fronte alla finestra: una scelta molto poco femminile. Poi viene a raccontarci la storia del furto... l'astuccio con la serratura forzata è inconcepibile, manca di logica. E il risultato? Il signor Baker Wood paga con denaro contante – e, badate, con biglietti di banca "buoni" – degli oggetti rubati. Le miniature sarebbero state restituite necessariamente alla signorina Penn. E lei le avrebbe rivendute subito, guadagnando mille sterline al posto di cinquecento soltanto. Ho fatto qualche indagine con molta discrezione. I suoi affari vanno piuttosto male. Allora mi sono detto: zia e nipote sono d'accordo! »

« Dunque, non avete mai sospettato Norton Kane? »

« *Mon ami*! Con quei baffetti? Un criminale è completamente sbarbato oppure ha un paio di baffi consistenti, da poter mettere e togliere al momento opportuno. Ma che occasione per l'intelligentissima signorina Penn! Una donna anziana, curva, con quella carnagione bianca e rosea, che abbiamo visto anche noi! Però se si tiene dritta, porta un paio di scarpe di misura superiore alla sua, si altera la carnagione con un trucco abile e, con tocco da artista, aggiunge qualche rado peluzzo sul labbro superiore... E poi? Un tipo mascolino, ha detto il signor Wood e... "un uomo travestito" pensiamo subito noi! »

« È andata veramente a Charlock ieri, nel pomeriggio? »

« Certo! Il treno, come ricorderete di avermi detto, parte di qui alle undici e arriva a Charlock alle due. Quanto al ritorno, si fa ancora più in fretta: è quello con il quale siamo tornati anche noi. Parte da Charlock alle quattro e cinque e arriva qui alle sei e un quarto. Naturalmente, le miniature non sono mai state in quell'astuccio. Quello è stato forzato abilmente, con un altro tocco da artista, prima di essere messo nella valigetta. Madamoiselle Mary doveva soltanto trovare una coppia di idioti facilmente colpiti dal suo fascino e pronti a schierarsi in sua difesa al momento opportuno! Ma uno dei due idioti non era un idiota... era Hercule Poirot! »

L'insinuazione mi piacque poco. Mi affrettai a osservare: « Allora, quando dicevate di voler aiutare una persona sconosciuta che si era trovata nei guai mi stavate volutamente ingannando! »

« Non vi ho mai ingannato, Hastings. Vi permetto soltanto di ingannarvi da solo. Mi riferivo al signor Baker Wood, uno sconosciuto, anzi uno straniero. » La sua faccia si incupì. « Ah! Quando penso alla truffa, all'ignobile estorsione, volete che non mi senta di proteggere uno straniero in visita nel vostro paese? Non sarà una persona simpatica, il signor Baker Wood... no, di certo! Ma è pur sempre uno straniero, Hastings! Gli stranieri devono darsi man forte fra loro! E io, non posso che essere dalla parte degli stranieri! »

Nido di vespe

John Harrison uscì di casa e si fermò un momento sulla terrazza che dava sul giardino. Era un uomo alto, con la faccia emaciata, cadaverica. Generalmente aveva un aspetto piuttosto triste e cupo ma quando, come ora, le sue fattezze irregolari si addolcivano in un sorriso, diventava subito molto attraente.

John Harrison aveva una vera passione per il giardino che mai era sembrato tanto bello come in quella sera di agosto, piena di tutto il languore dell'estate. Le rose rampicanti erano ancora magnifiche; l'aria colma degli effluvi profumati del pisello odoroso.

Un cigolio ben familiare fece voltare di scatto la testa a Harrison. Chi stava entrando dal cancelletto del giardino? Un attimo ancora e, sul viso, gli apparve un'espressione di profonda meraviglia perché la figura elegante e piena di ricercatezza della persona che stava venendo avanti sul vialetto, era l'ultima che si sarebbe aspettato di vedere in quella parte del mondo.

« Ma è meraviglioso! » esclamò Harrison. « Monsieur Poirot! »

Ed effettivamente si trattava proprio del famoso Hercule Poirot la cui rinomanza di investigatore era dilagata per tutto il Regno Unito e all'estero.

« Sì » disse quest'ultimo « sono io. Una volta, mi avete detto: "Qualora vi capitasse di passare da queste parti, venite a trovarmi". Vi ho preso in parola ed eccomi qui! »

« E io ne sono felicissimo » disse Harrison, con calore. « Venite a sedervi e a bere qualcosa. »

Con un gesto ospitale, indicò un tavolo sulla veranda, sul quale era radunato un assortimento di bottiglie.

« Grazie » disse Poirot, lasciandosi cadere su una poltrona di vimini. « Immagino che non abbiate qualche sciroppo, vero? No, no, lo pensavo infatti. Allora un po' di acqua di seltz semplice... senza whisky. » E aggiunse con voce piena di rammarico mentre l'altro gli metteva vicino un bicchiere: « Ahimè! mi si sono afflosciati i baffi. È il caldo! »

« E cosa vi ha condotto in questo angolino sperduto? » domandò Harrison mentre si lasciava cadere anche lui su un'altra poltrona. « Siete in gita di piacere? »

« No, *mon ami*, sono venuto per affari. »

« Affari? In questo posto fuori del mondo? »

Poirot annuì gravemente. « Ma certo, caro amico, non tutti i delitti vengono commessi in mezzo alla folla, eh? »

L'altro si mise a ridere. « Immagino che sia stata un'osservazione un po' stupida, la mia. Ma su quale delitto, in particolare, siete venuto a indagare qui... ve lo posso chiedere, oppure è meglio evitarlo? »

« Potete chiederlo » rispose l'investigatore « Anzi, preferisco che me lo chiediate. »

Harrison lo squadrò incuriosito. Intuì che c'era qualcosa di insolito nel comportamento del suo interlocutore. « Avete detto che state facendo delle indagini su un atto criminoso » disse sondando il terreno con una certa esitazione. « Si tratta di un caso grave? »

« Del genere più grave che ci sia. »

« Volete dire... »

« Un delitto. »

Hercule Poirot pronunciò questa parola con un tono tanto grave che Harrison ne rimase profondamente colpito. L'investigatore lo stava guardando fisso e, ancora una volta, Harrison credette di scorgere qualcosa di tanto inusitato in quello sguardo da non sapere come procedere. Infine disse: « Non ho sentito parlare di nessun delitto. »

« No » disse Poirot, « non potreste averne sentito parlare. »

« Chi è stato assassinato? »

« Finora » ribatté Hercule Poirot, « nessuno. »

« Cosa? »

« Ecco perché ho detto che era impossibile che ne aveste sentito parlare. Sto facendo delle indagini su un delitto che non è ancora avvenuto. »

« Ma, sentite un po', è assurdo! »

« Niente affatto. Se si possono fare le indagini su un delitto prima che accada, è molto meglio che non essere costretti a farle in un secondo tempo. Si potrebbe perfino... è una probabilità modesta... impedirlo. »

Harrison lo fissò ad occhi sbarrati. « Non starete parlando seriamente, monsieur Poirot, vero? »

« E invece sì. Sono serissimo. »

« Siete davvero convinto che stia per essere commesso un assassinio? Oh, ma è inconcepibile! »

Hercule Poirot concluse la prima parte della frase senza badare all'esclamazione di stupore dell'altro.

« A meno che non riusciamo a impedirlo. Sì, *mon ami*, è proprio questo che voglio dire. »

« Noi? »

« Sì, lo avete notato, vero, ho detto "riusciamo". Mi occorre la vostra collaborazione. »

« È per questo che siete venuto qui? »

Di nuovo, Poirot lo guardò e, di nuovo, qualcosa di indefinibile diede a Harrison una vaga sensazione di inquietudine.

« Sono venuto qui, signor Harrison, perché... be'... perché mi siete simpatico. »

E subito aggiunse, con un tono di voce completamente diverso: « Vedo, monsieur Harrison, che avete un nido di vespe, qui. Dovreste distruggerlo. »

Il modo brusco in cui aveva cambiato argomento lasciò Harrison perplesso. Aggrottò le sopracciglia, senza capire. Seguì lo sguardo di Poirot e disse, con voce alquanto stupita: « Effettivamente, è quello che ho intenzione di fare. O, diciamo meglio, che farà il giovane Langton. Ricordate Claude Langton? Era invitato anche lui alla stessa cena alla quale ci siamo conosciuti noi due. Deve venire stasera a distruggerlo. Pare che sia un genere di lavoro che gli piace. »

« Ah! » esclamò Poirot, « e come avrebbe intenzione di farlo? »

« Adoperando petrolio e una siringa nebulizzatrice da giardino. Anzi, porterà qui la sua; ha una misura più conveniente della mia. »

« Però c'è anche un altro mezzo per distruggerli, vero? » domandò Poirot. « Non lo si fa anche con il cianuro di potassio? »

Harrison parve leggermente sorpreso. « Si, ma è roba un po' pericolosa, quella. È sempre un rischio averla in casa. »

Poirot annuì gravemente. « Sì, è un veleno mortale. » Attese un attimo e poi ripeté con la stessa voce grave di prima: « Veleno mortale ».

« Molto utile a chi vuol far fuori la suocera, eh? » rincarò Harrison con una risata.

Ma Hercule Poirot rimase serio. « Siete ben sicuro, monsieur Harrison, che monsieur Langton sia deciso a distruggere quel vespaio con il petrolio? »

« Sicurissimo, perché? »

« Una semplice curiosità. Nel pomeriggio, poco fa, ero nel negozio del farmacista di Barchester e, per uno degli acquisti che ho fatto, sono stato obbligato a firmare il registro in cui si annotano le vendite di sostanze velenose. Ho osservato la registrazione precedente alla mia, l'ultima. Si trattava di un acquisto di cianuro di potassio ed era stato firmato da Claude Langton. »

Harrison lo squadrò sbalordito. « È strano » disse. « Proprio l'altro giorno Langton mi diceva che non gli sarebbe mai saltato in mente di ado perare quella roba; anzi, ha dichiarato che non dovrebbe neppure essere venduto per questo scopo. »

Poirot spostò lo sguardo in direzione delle rose. La sua voce era molto sommessa, e pacata, quando fece una domanda: « Vi è simpatico, Langton? ».

L'altro trasalì. Sembrava che la domanda lo cogliesse del tutto impreparato. « Io... io..., voglio dire... certo, che mi è simpatico. Perché dovrebbe essere il contrario? »

« Mi chiedevo semplicemente se vi è simpatico » disse Poirot placidamente.

E, poiché il suo interlocutore non rispondeva, continuò: « Mi sono chiesto anche un'altra cosa, e cioè se voi siete simpatico a Langton! ».

« Si può sapere a che cosa volete mirare, monsieur Poirot? C'è qualcosa in queste vostre parole che mi sfugge. »

« Ebbene, sarò sincero. Siete fidanzato, monsieur Harrison. State per sposarvi. Conosco la signorina Molly Deane. È una ragazza affascinante, molto bella. Prima di essere fidanzata con voi, era fidanzata con Claude Langton. Lo ha piantato, per voi! »

Harrison fece segno di sì.

« Non chiedo quali siano stati i motivi che l'hanno spinta a farlo; può darsi che avesse delle giustificazioni. Però, c'è una cosa che voglio dirvi: non mi sembra illogico supporre che Langton non abbia né dimenticato né perdonato. »

« Siete in errore, monsieur Poirot. Vi garantisco che sbagliate. Langton è sempre stato uno sportivo e ha accettato la situazione con animo virile. È stato incredibilmente bravo e buono nei miei confronti... anzi ha cercato addirittura di dimostrarsi pieno di simpatia e di cordialità. »

« E questo non vi colpisce come un fatto insolito? Avete usato 'a parola "incredibilmente", eppure non mi sembra che consideriate "incredibile" il comportamento di quel giovanotto! »

« Cosa vorreste dire, monsieur Poirot? »

« Voglio dire » disse Poirot, e una nuova tonalità si era insinuata nella sua voce, « che un uomo può nascondere il proprio odio finché non giunge il momento opportuno. »

« Odio? » Harrison scosse la testa e scoppiò in una risata.

« Gli inglesi sono molto sciocchi » disse Poirot. « Credono di poter ingannare chiunque. Ma sono convinti di non poter essere ingannati da nessuno. E proprio perché sono coraggiosi ma sciocchi, qualche volta muoiono quando potrebbero benissimo evitarlo. »

« È un avvertimento quello che mi volete dare? » chiese Harrison a bassa voce. « Adesso capisco... ciò che mi ha lasciato perplesso e dubbioso. Mi volete mettere in guardia contro Claude Langton. Oggi siete venuto qui per avvertirmi... »

Poirot annuì. Harrison si alzò di scatto. « Ma siete pazzo, monsieur Poirot. Questa è l'Inghilterra. Non succedono cose di questo genere, qui. I corteggiatori respinti non vanno in giro a pugnalare alle spalle la gente, o ad avvelenarla. E poi, sbagliate per quel che riguarda Langton. Quel ragazzo non farebbe male a una mosca. »

« Non è la vita delle mosche che mi preoccu

pa » disse Poirot senza perdere la calma. « E per quanto diciate che monsieur Langton non sarebbe capace di ucciderne neanche una, dimenticate che, già in questo momento, si sta preparando a togliere la vita a parecchie migliaia di vespe. »

Harrison non rispose subito. A sua volta il piccolo detective scattò in piedi e, avanzando verso l'amico, gli pose una mano sulla spalla. Era talmente agitato che si mise quasi a scuotere l'altro, che era un omone, mentre gli sussurrava nell'orecchio: « Su, amico mio, svegliarsi, svegliarsi bisogna! E poi, guardate... guardate dove vi sto indicando. Là, sull'argine, vicino a quella radice d'albero. Vedete le vespe che tornano pacificamente a casa alla fine della giornata? Fra neppure un'ora, tutto sarà distrutto – ma loro non lo sanno. Non c'è nessuno che glielo vada a dire. A quanto sembra, non hanno un Hercule Poirot. Vi ho detto, monsieur Harrison, che sono venuto giù per affari. Be', il delitto è il mio mestiere. Ed è affar mio occuparmene prima che sia avvenuto, come dopo. A che ora verrà monsieur Langton per distruggere il vespaio? »

« Langton non oserebbe mai... »

« A che ora? »

« Alle nove. Ma vi dico che vi sbagliate. Langton non... »

« Questi inglesi! » gridò Poirot, accalorandosi. Poi afferrò cappello e bastone e si avviò per il vialetto, fermandosi un attimo ad aggiungere, voltando appena la testa sulla spalla: « Non rimango a discutere con voi. Finirei soltanto per andare in collera. Però mi avete capito? Avete capito che tornerò alle nove? »

Harrison aprì la bocca per parlare ma Poirot non gliene offrì il destro. « So bene ciò che direste: "Langton non oserebbe mai" eccetera, eccetera. Ah, Langton non... Comunque, sarò di ritorno per le nove. Ma, sì, mi divertirà... mettiamolo sotto questa forma... mi divertirà veder distruggere un nido di vespe! Un altro dei vostri sport anglosassoni! »

Non attese risposta e percorse a passo rapido il vialetto; poi uscì dal cancelletto cigolante. Non appena si trovò sulla strada, il suo passo si fece meno affrettato. La sua vivacità scomparve, la faccia diventò grave e prese un'espressione preoccupata. A un certo punto tirò fuori di tasca l'orologio e lo consultò. Le lancette segnavano le otto e dieci minuti. « Più di tre quarti d'ora » mormorò. « Chissà, forse avrei fatto meglio ad aspettare. »

Il suo passo si fece ancora più lento; sembrò quasi sul punto di tornare indietro. Parve assalito da qualche vago presentimento. Tuttavia se ne liberò risolutamente e continuò a camminare in direzione del villaggio. Ma aveva l'aria ancora preoccupata, e un paio di volte scosse la testa come una persona che non è del tutto soddisfatta.

Mancavano ancora pochi minuti alle nove quando si avvicinò nuovamente al cancello del giardino. Era una serata limpida e silenziosa; soltanto una lievissima brezza faceva frusciare appena appena le foglie. Forse c'era qualcosa di vagamente sinistro in tanto silenzio, come la quiete che precede la tempesta.

Il passo di Poirot si fece impercettibilmente

più affrettato. D'un tratto si sentì in preda alla angoscia... e pieno di incertezza. Temeva qualcosa, ma senza ben sapere di che si trattava.

E in quel momento il cancello del giardino si aprì e Claude Langton ne uscì rapido. Trasalì, quando vide Poirot.

« Oh... ehm... buona sera. »

« Buona sera, monsieur Langton. Siete in anticipo. »

Langton lo fissò. « Non capisco quello che volete dire. »

« Avete già distrutto il nido di vespe? »

« A dir la verità, no. »

« Oh! » disse Poirot sottovoce. « Così, non avete distrutto il nido di vespe. E cos'avete fatto, allora? »

« Oh, mi sono semplicemente seduto un po' a far quattro chiacchiere con il vecchio Harrison. Adesso, però, devo scappare, monsieur Poirot. Non immaginavo che foste rimasto da queste parti! »

« Avevo qualche affare da sbrigare, capite? »

« Oh! Bene, troverete Harrison sulla terrazza. Spiacente ma non posso fermarmi. »

E si allontanò a passo affrettato. Poirot lo seguì con lo sguardo. Un giovanotto nervoso, di aspetto piacente ma con la bocca della persona debole di carattere!

« Così, troverò Harrison sulla terrazza » mormorò Poirot. « Strano. » Oltrepassò il cancelletto e percorse il piccolo viale. Harrison era seduto su una sedia, vicino al tavolo. Era immobile e non voltò neanche la testa quando Poirot gli venne vicino.

« Ah! *Mon ami* » disse Poirot. « Vi sentite bene, vero? »

Ci fu una lunga pausa, e infine Harrison disse con una voce molto strana, attonita: « Come avete detto? »

« Ho detto... vi sentite bene? »

« Bene? Sì, che sto bene. Perché non dovrei star bene? »

« Nessun brutto effetto? Ottimamente! »

« Brutto effetto? E perché dovrei sentire qualche brutto effetto? »

« Per via della soda per lavare. »

Harrison si riscosse di colpo. « Soda per lavare? Cosa state dicendo? »

Poirot fece un gesto di scusa. « Mi rammarico infinitamente che sia stato necessario, ma ve ne ho messa un po' in tasca. »

« Mi avete messo qualcosa in tasca? E perché diavolo l'avete fatto? »

Harrison lo stava fissando. Poirot, allora, si mise a parlare sommessamente, in tono impersonale, come un conferenziere che si adatti a dar spiegazioni a un bambino.

« Vedete, uno dei vantaggi, o degli svantaggi, di essere investigatore sta nel fatto che si può fare la conoscenza di molte persone che rientrano nella classe dei criminali. E questa gente può insegnare un sacco di cose interessanti e curiose. Una volta, per esempio, c'era un borsaiolo... mi sono interessato di lui perché, per un caso molto raro, non aveva fatto quello che tutti dicevano che avesse fatto, e così sono riuscito a farlo assolvere. E costui, pieno di gratitudine, mi ha ripagato nell'unico modo che gli è venuto in mente... cioè, mi ha insegnato qualche trucchetto del mestiere.

« Di conseguenza, sono capace di vuotar le tasche a un individuo, se me ne viene l'estro, senza che lui se ne accorga. Gli metto una mano sulla spalla, mi eccito, tremo tutto e lui non sente niente. Eppure, così riesco a trasferire dalla sua tasca alla mia ciò che vi era contenuto, lasciandoci, invece, un po' di soda per lavare.

« Vedete » continuò Poirot con voce assorta, « se un uomo vuole versare un po' di veleno, rapidamente, in un bicchiere, senza che nessuno lo osservi, deve tenerlo nella tasca destra della giacca; non c'è altro posto che sia adatto. Così sapevo che sarebbe stato lì. »

Si infilò una mano in tasca e ne estrasse qualche cristallino bianco, dalla forma irregolare. « Pericolosissimo... » mormorò « portarlo in giro così... sciolto. »

Con calma, senza affrettarsi, tirò fuori da una altra tasca una bottiglietta a imboccatura larga, vi fece scivolare i cristalli, si avvicinò al tavolo e la riempì di acqua naturale. Poi, dopo averla ben chiusa con il turacciolo, la agitò finché i cristalli non si furono completamente disciolti. Harrison lo fissava affascinato.

Soddisfatto della soluzione ottenuta, Poirot si avvicinò al vespaio. Tolse il turacciolo alla bottiglietta, allungò una mano restandone distante il più possibile e versò la soluzione nel vespaio, poi indietreggiò di uno o due passi e rimase a guardare.

Qualche vespa che stava ritornando al nido, vi si posò, ebbe un lieve tremito e poi rimase immobile. Altre ne uscirono per morire. Poirot continuò a osservarle per un minuto o due ed infine, dopo aver fatto segno di sì più volte con la testa, tornò alla veranda.

« Una morte rapida » disse. « Una morte rapidissima. »

Harrison aveva ritrovato la voce. « Fino a che punto sapete? »

Poirot guardò dritto davanti a sé. « Come vi dicevo, ho letto sul registro della farmacia il nome di Claude Langton. Ciò che non vi ho raccontato, invece, è che – quasi subito dopo – mi è capitato di incontrarlo. Mi ha detto di aver acquistato del cianuro di potassio dietro vostra richiesta, Harrison... per distruggere un vespaio. La cosa mi ha colpito perché mi sembrava un po' strana, caro amico, soprattutto in quanto ricor davo bene come, al pranzo di cui mi avete par lato, voi stesso avevate sostenuto i meriti supe riori del petrolio e denunciato l'acquisto di cia nuro come pericoloso e inutile. »

« Proseguite. »

« Sapevo qualcos'altro. Avevo visto Claude Langton e Molly Deane insieme in un momento in cui non credevano di essere visti da nessuno Non so quale litigio di innamorati li avesse spinti, in origine, a lasciarsi e avesse fatto finire Molly nelle vostre braccia, Harrison, ma mi sono accorto subito che ogni malinteso era stato dimenticato e che la signorina Deane stava tor nando al primo amore. »

« Andate avanti »

« Sapevo anche qualcosa di più, amico mio L'altro giorno mi trovavo in Harley Street e vi ho visto uscire dallo studio di un medico. È un medico che conosco, so per quale malattia lo si va a consultare e, poi, avevo notato l'espressione della vostra faccia! Mi è capitato di vederla solo una o due volte in vita mia, ma è difficile confonderla. Si tratta dell'espressione di un uomo che ha sentito pronunciare la propria sentenza di morte. Sbaglio, o no? »

« Avete perfettamente ragione. Mi ha dato due mesi di vita. »

« Voi, caro amico, non mi avete visto, perché avevate ben altro a cui pensare. Ma io ho letto qualcos'altro sulla vostra faccia... proprio quello che gli uomini cercano di nascondere, come dicevo questo stesso pomeriggio. Ho visto l'odio, amico mio. Non vi preoccupavate minimamente di nasconderlo, perché eravate persuaso che non ci fosse nessuno ad osservarvi. »

« Avanti! » disse Harrison.

« Non c'è molto altro da dire. Sono venuto giù, ho visto per puro caso il nome di Langton sul registro delle sostanze velenose come vi ho spiegato, ho incontrato il giovanotto e sono venuto qui da voi. Vi ho preparato qualche trappola. Avete negato di aver chiesto a Langton di procurarsi il cianuro, o perlomeno vi siete mostrato sorpreso sentendo parlare dell'acqui sto del veleno. Non appena mi avete visto apparire, siete rimasto sorpreso ma, subito dopo, avete intuito come capitasse a proposito la mia visita qui, e avete incoraggiato i miei sospetti. Da Langton sapevo che sarebbe venuto qui alle otto e mezza. Voi mi avete detto di aspettarlo per le nove, pensando che sarei tornato e avrei trovato tutto già finito. Quindi, sapevo tutto. »

« Perché siete venuto? » esclamò Harrison. « Ah, se almeno non vi foste fatto vedere! »

Poirot si raddrizzò sulla persona. « Vi ho spiegato che il delitto è il mio mestiere » disse.

« Delitto? Suicidio, vorrete dire. »

« No. » La voce di Poirot si levò, alta e sonante. « Parlo di delitto. La vostra morte sarebbe stata rapida e facile, ma la morte che avevate preparato per Langton era la peggior morte di cui un uomo possa morire. Era stato lui ad acquistare il veleno, lui a venire a trovarvi, Harrison; e – qui – sareste rimasti soli. Voi morite improvvisamente, nel vostro bicchiere si trova il cianuro e Claude Langton viene impiccato. Ecco il vostro piano. »

Di nuovo Harrison si lasciò sfuggire un gemito. « Perché siete venuto? Perché? »

« Ve l'ho già detto, ma c'è anche un'altra ragione. Mi eravate simpatico. Ascoltate, *mon ami*; voi state per morire, avete perduto la ragazza che amavate ma c'è una cosa che non siete assolutamente: un assassino. E adesso ditemi: siete contento o no della mia visita? »

Ci fu una brevissima pausa e poi Harrison si raddrizzò sulla persona. Sul suo volto era affiorata una dignità nuova... l'espressione di un uomo che ha sconfitto quanto di più abbietto e vile può esserci in lui. Allungò una mano attraverso il tavolo.

« Grazie a Dio, siete venuto! » esclamò. « Grazie a Dio, siete venuto! »

L'avventura del dolce di Natale

« Mi rammarico profondamente... » disse Hercule Poirot.

Venne interrotto. Non in modo scortese. L'interruzione fu melliflua, abile, persuasiva piuttosto che contradditoria.

« Vi prego, monsieur Poirot. Non rifiutate per una questione di principio. Ci sono gravi problemi di Stato. La vostra collaborazione sarà apprezzata da chi sta in alto. »

« Siete troppo gentile » Hercule Poirot fece un cenno vago con la mano, « ma non me la sento, sul serio, di assumermi l'incarico che chiedete. In questa stagione dell'anno... »

Di nuovo il signor Jesmond lo interruppe. « È Natale » disse, persuasivo. « Non vi attira un Natale all'antica nella campagna inglese. »

Hercule Poirot ebbe un brivido. Il pensiero della campagna inglese in quella stagione dell'anno non aveva nessuna attrattiva per lui.

« Un bel Natale, come si usava celebrarlo nei

tempi andati! » Il signor Jesmond insistette sul concetto.

« Io... ecco, io non sono inglese » disse Hercule Poirot. « Nel mio paese è la festa dei bambini, il Natale! Noi, invece, festeggiamo il Capodanno. »

« Ah! » esclamò il signor Jesmond, « ma il Natale in Inghilterra è una grande istituzione e vi assicuro che a Kings Lacey ne potrete godere i suoi aspetti migliori. Si tratta di una casa antica, stupenda, sapete? Figuratevi che un'ala dell'edificio risale addirittura al quattordicesimo secolo. »

Poirot rabbrividì ancor di più. Il pensiero di una casa patrizia inglese, che risaliva al quattordicesimo secolo, lo riempiva di apprensione. Troppo spesso gli era capitato di soffrire in certe case di campagna della vecchia Inghilterra! Lanciò un'occhiata compiaciuta e soddisfatta intorno a sé, a quell'appartamento accogliente e moderno con i suoi termosifoni e tutte le ultime invenzioni brevettate per evitare ogni corrente d'aria.

« D'inverno » disse con fermezza « io non lascio mai Londra. »

« Ho l'impressione, monsieur Poirot, che non abbiate ancora compreso che si tratta di una faccenda molto seria. » Il signor Jesmond lanciò un'occhiata al suo compagno e poi, di nuovo, a Poirot.

Il secondo visitatore di Poirot non aveva detto niente fino a quel momento, all'infuori di un educato e formale: « Piacere ». Adesso se ne stava seduto con lo sguardo fisso sulle proprie, lucidissime, scarpe e un'espressione profondamente avvilita sulla faccia color caffè. Era un giovanotto che non doveva avere più di ventitré anni e si trovava in uno stato di visibile e completo abbattimento.

« Sì, sì » disse Poirot. « Certo che la faccenda è seria. Me ne rendo perfettamente conto. Sua Altezza ha tutta la mia più sincera simpatia. »

« La situazione è della massima delicatezza » disse il signor Jesmond.

Poirot trasferì lo sguardo dal giovanotto al suo compagno più anziano. A voler definire, in una sola parola, il signor Jesmond, questa sarebbe stata "discrezione". Tutto, nel signor Jesmond, era discreto. Gli abiti di ottimo taglio ma non vistosi, la voce garbata e ben educata che raramente si alzava in toni che si staccassero da una piacevole monotonia, i capelli castano chiaro che cominciavano a diradarsi alle tempie, la faccia pallida e grave. Hercule Poirot aveva l'impressione di averne già conosciuti non uno solo, ma almeno una dozzina, di uomini come il signor Jesmond, nella sua carriera, e tutti prima o poi avevano usato la medesima frase... "una situazione della massima delicatezza".

« La polizia » intervenne Hercule Poirot « può essere estremamente discreta, sapete? »

Il signor Jesmond scosse la testa con fermezza.

« La polizia, no » disse. « Per ricuperare... ehm... quello che vogliamo ricuperare si dovrebbe ricorrere inevitabilmente a un procedimento penale, e sappiamo tanto poco! *Sospettiamo*, ma non *sappiamo*. »

« Avete tutta la mia comprensione » ripeté ancora Hercule Poirot.

Se si illudeva che la sua comprensione potesse bastare ai suoi visitatori, si sbagliava. Costoro non volevano simpatia o comprensione, ma un aiuto pratico. Il signor Jesmond ricominciò a parlare della bellezza e delle delizie di un Natale inglese.

« Sta ormai scomparendo » disse « intendo dire il vero tipo di Natale dei vecchi tempi, sapete? La gente ormai va a trascorrerlo in albergo. Ma un Natale inglese con tutta la famiglia riunita, i bambini, le calze appese al camino, l'albero, il tacchino e il dolce tradizionale, e i petardi natalizi nei pacchetti con la sorpresa. L'uomo di neve fuori dalla finestra... »

Nell'interesse dell'esattezza, Poirot intervenne. « Per fare un uomo di neve, ci vuole la neve » osservò in tono severo. « E nessuno può avere la neve su ordinazione, neanche per un Natale inglese. »

« Proprio oggi stavo parlando con un amico dell'ufficio metereologico » disse il signor Jesmond « e mi diceva che molto probabilmente, a Natale, *ci sarà proprio* la neve. »

Fu un errore dirlo all'investigatore. Hercule Poirot rabbrividì ancora più violentemente.

« La neve in campagna! » esclamò. « Ed essere costretti a rimanere rintanati in una grande e antica casa patrizia, di pietra gelida! »

« Niente affatto » disse il signor Jesmond. « Negli ultimi dieci anni o giù di lì, le installazioni sono molto cambiate. C'è adesso il riscaldamento centrale a gasolio. »

« Hanno il riscaldamento centrale a Kings Lacey? » domandò Poirot. Per la prima volta parve che la sua determinazione vacillasse.

Il signor Jesmond colse al volo quell'opportunità. « Sì, proprio così » disse « è un magnifico sistema di acqua calda. Termosifoni in ogni camera da letto. Vi garantisco, monsieur Poirot, che, d'inverno, Kings Lacey è la comodità fatta e finita. Potreste addirittura trovare la casa *troppo* calda. »

« Questo è estremamente improbabile » disse Hercule Poirot.

Con destrezza, nata dalla lunga pratica, il signor Jesmond spostò cautamente il discorso su un altro argomento.

« So che siete in grado di valutare a fondo il terribile dilemma in cui ci troviamo » disse in tono confidenziale.

Hercule Poirot annuì. Il problema, effettivamente, non era affatto simpatico. Un giovane erede al trono, unico figlio dell'uomo che governava un ricco e importante stato orientale, era arrivato a Londra poche settimane prima. Il suo paese stava attraversando un periodo di inquietudine e di malcontento. Pur restando fedele al padre, il cui modo di vivere era rimasto costantemente orientale, l'opinione pubblica si mostrava piuttosto dubbiosa nei confronti della giovane generazione, le cui follie, di pretto stampo occidentale, erano state considerate con disapprovazione.

Poco tempo prima, tuttavia, era stato annunciato il fidanzamento del giovane rampollo, che avrebbe dovuto sposare la cugina, una donna della sua stessa stirpe, la quale pur essendo stata educata a Cambridge, aveva badato a non rivelare di aver subìto nessun influsso occidentale nel proprio paese. La data delle nozze era stata annunciata e il giovane principe era partito per un viaggio in Inghilterra, portando con sé una parte dei famosi gioielli di famiglia perché venissero montati in modo più appropriato e moderno da Cartier. Tra questi, si trovava anche un famosissimo rubino rimosso da una collana massiccia e antiquata a cui apparteneva e fornito di una nuova montatura dai celebri gioiellieri. Fin qui, tutto bene. Ma a questo punto, si era verificata una difficoltà imprevista. Era più che comprensibile che un giovanotto, fornito di una notevole ricchezza e di gusti socievoli e gioviali, commettesse qualche follia del tipo più simpatico e piacevole. Quanto a questo, nessuna censura. Tutti sanno che i giovani principi, generalmente, si divertono in questo modo. Per il principe, il fatto di portare la sua amichetta del momento a fare quattro passi per Bond Street e offrirle un braccialetto di smeraldi o una spilla di brillanti come ricompensa per il piacere che gli aveva dato, sarebbe stato considerato del tutto naturale, oltre che logico, e poteva corrispondere, in realtà, alla abitudine del padre il quale offriva, invariabilmente, una Cadillac alla ballerina che era la sua favorita del momento.

Ma il principe era andato molto più in là con le sue sconsideratezze. Lusingato dall'interesse della ragazza, le aveva mostrato il famoso rubino nella nuova montatura e, infine era arrivato addirittura al punto di acconsentire, molto stupidamente, alla richiesta di lei di lasciarglielo portare... solo per una sera!

Il seguito era breve e triste. La ragazza si era allontanata da tavola, mentre erano a cena, per andare a mettersi la cipria. Era passato un po' di tempo. Lei non era tornata. Aveva lasciato il locale da un'altra uscita e, da quel momento, era sparita. Ma ciò che più importava e preoccupava era che il rubino, incastonato nella nuova montatura, era sparito con lei.

Questi fatti non potevano assolutamente essere resi pubblici senza rischiare tragiche conseguenze. Il rubino era qualcosa di più di un rubino, era un oggetto di valore storico e di grande significato, e le circostanze della sua sparizione tali che qualsiasi pubblicità indebita sull'avvenimento avrebbe potuto provocare le più gravi conseguenze politiche.

Il signor Jesmond non era uomo da descrivere questi fatti con un linguaggio semplice. Anzi, li aveva corredati da una gran profusione di parole. Hercule Poirot non sapeva con esattezza chi il signor Jesmond fosse. Ne aveva incontrati altri nel corso della sua carriera. Non era stato specificato se fosse legato al ministero degli Interni, a quello degli Esteri oppure a qualche altro ramo, più discreto, degli uffici governativi. Ma agiva nell'interesse del Commonwealth. Il rubino doveva essere ritrovato.

Il signor Poirot, così aveva garbatamente insistito il signor Jesmond, era l'uomo adatto per ritrovarlo.

« Forse... sì » ammise Hercule Poirot. « Ma

potete raccontarmi così poco! Suggerimenti... sospetti... non è molto a cui attaccarsi! »

« Su, andiamo, monsieur Poirot! Sono sicuro che non si tratta di un incarico che vada al di là delle vostre capacità! Via, non ci credo! »

« Non sempre ho successo. »

Ma era falsa modestia la sua. Dal tono di Poirot, era fin troppo chiaro che per lui, assumersi un incarico era quasi sinonimo di riuscire a risolverlo con successo.

« Sua Altezza è molto giovane » disse il signor Jesmond. « Sarebbe triste che tutta la sua vita dovesse essere rovinata da un'azione sconsiderata commessa in gioventù! »

Poirot guardò con aria gentile l'abbacchiato giovanotto. « Le follie si fanno quando si è giovani » disse incoraggiante « e per un giovanotto qualsiasi, non hanno tutta questa importanza. C'è un buon papà, pronto a pagare; l'avvocato di famiglia presta il suo aiuto per risolvere le difficoltà, il giovanotto impara dall'esperienza avuta e tutto finisce per il meglio. In una posizione come la vostra, è brutto davvero! Il vostro prossimo matrimonio... »

« Proprio così. Ecco, si tratta di quello, precisamente. » Per la prima volta le parole uscirono a fiotti dalla bocca del giovanotto. « Vedete, lei è molto, molto seria. Prende la vita molto seriamente. A Cambridge, ha assorbito molte idee serie. Nel mio paese, bisogna che ci sia l'istruzione. Le scuole. Molte altre cose. Tutto in nome del progresso, capite, e della democrazia. Non sarà più, dice lei, com'era ai tempi di mio padre. Naturalmente lei sapeva che, a Londra, mi sarei divertito e mi sarei tolto qualche capriccio, ma... lo scandalo, no. No! È lo scandalo che mi preoccupa. Vedete, questo rubino è molto, molto famoso. Ha una lunga tradizione che ha radici nel passato, nella storia. Molto sangue è stato sparso... e molti sono morti! »

« Morti » mormorò Hercule Poirot soprappensiero. Guardò il signor Jesmond. « C'è da sperare » disse poi « che non si arriverà a questo? »

Il signor Jesmond proruppe in uno strano gorgoglio, come una gallina che ha deciso di fare l'uovo e poi ci ha ripensato.

« No, no assolutamente » disse prendendo un tono piuttosto altezzoso « assolutamente, no. Sono certo che non è affatto una questione di *quel* genere. »

« Non si può mai essere sicuri » sentenziò Hercule Poirot. « In mano di chiunque sia il rubino, adesso, ci possono sempre essere altri che aspirerebbero a possederlo e che non si fermerebbero davanti a niente, per riuscirci, caro amico. »

« Non credo proprio » insistette il signor Jesmond, sembrando più altezzoso che mai « che occorra fare congetture di questo genere. Assolutamente inutili. »

« Io » disse Hercule Poirot, diventando improvvisamente molto straniero « io esploro tutte le strade, come gli uomini politici. »

Il signor Jesmond lo guardò dubbioso. Poi, riscuotendosi, disse: « Bene, allora posso concludere che siamo d'accordo, signor Poirot? Andrete a Kings Lacey? ».

« E quale spiegazione darò alla mia presenza lì? » domandò Hercule Poirot.

Il signor Jesmond sorrise, sicuro di sé.

« Questo dettaglio, credo, potrà essere risolto molto facilmente » disse. « Vi assicuro che sembrerà tutto molto naturale. Troverete incantevoli i Lacey. Sono persone adorabili. »

« E non mi avete ingannato a proposito del riscaldamento centrale a gasolio? »

« No, assolutamente no. » Il signor Jesmond parve molto dispiaciuto del sospetto. « Vi assicuro che ci troverete tutte le comodità che la tecnica può offrire! »

« *Tout confort moderne* » mormorò Poirot tra sé, nel tono di chi rievoca qualcosa. « *Eh bien*! » finì col dire « accetto. »

La temperatura nel lungo salotto di Kings Lacey toccava una confortevole ventina di gradi, mentre Hercule Poirot sedeva chiacchierando con la signora Lacey vicino a una delle grandi finestre a più luci, con le colonnine divisorie. La signora Lacey stava cucendo. Non era *petit point*, quello che faceva né un ricamo di fiori colorati su seta bensì appariva impegnata nel prosaico compito di orlare degli strofinacci per i piatti. Intanto che cuciva, chiacchierava con una voce dolce e riflessiva che Poirot trovava incantevole.

« Spero che vi piacerà la nostra festa di Natale qui a Kings Lacey, signor Poirot. Siamo soltanto noi di famiglia, sapete? La mia nipotina, mio nipote e un suo amico, e Bridget che è la mia bis-nipotina, poi c'è Diana, una cugina, con David Welwyn, un vecchio amico, anzi vecchissimo. Proprio solo le persone di famiglia. Ma Edwina Morecombe ci ha detto che era proprio questo che volevate vedere. Un Natale all'antica. Niente potrebbe essere più all'antica di noi! Mio marito, sapete, vive completamente nel passato. Gli piace che tutto sia esattamente com'era quando lui aveva dodici anni, e veniva sempre qui per le vacanze. » Sorrise a se stessa. « Le stesse, vecchie cose, l'albero di Natale e le calze appese al camino e la zuppa di ostriche e il dolce con l'anello e il bottone dello scapolo, e via dicendo. Oggigiorno non ci mettiamo più le monetine da sei *pence* perché non sono più d'argento. Ma c'è ancora, come in passato, il solito dessert composto di prugne Elvas, prugne di Carlsbad e mandorle e uva passa e frutta candita e pan pepato. Povera me, sembro proprio un catalogo di Fortnum & Mason! »

« Solleticate i miei succhi gastrici, madame! »

« Immagino che, ora di domani sera, avremo fatto tutti una tremenda indigestione » disse la signora Lacey. « Non siamo più abituati a mangiare tanto come una volta, oggi, vero? »

Venne interrotta da grandi scrosci di risate e grida e urli da fuori. Lanciò un'occhiata attraverso i vetri della finestra.

« Non so cosa stiano facendo là fuori. Suppongo che giochino. Ho sempre avuto una tal paura, sapete?, che questi ragazzi giovani non si divertano al nostro Natale. Ma invece capita proprio il contrario. Ecco, per esempio, mio figlio e mia figlia e i loro amici avevano l'abitudine di fare un po' gli snob per quel che riguardava il Natale. Dicevano che erano tutte stupi daggini e che sarebbe stato molto meglio andare in qualche albergo a ballare. Ma la generazione più giovane sembra che trovi enormemente simpatico tutto questo. E poi » continuò la signora Lacey in tono pratico « i ragazzi che vanno a scuola hanno sempre fame, non è vero? Io credo che devono soffrire la fame in tutte quelle scuole dove vanno! In fondo, lo sappiamo tutti che i figlioli di quell'età mangiano come tre uomini robusti! »

Poirot scoppiò a ridere e disse: « Siete stati gentilissimi, voi e vostro marito, madame, a includermi con tanta simpatia nella vostra festa di famiglia. »

« Oh, siamo felicissimi di avervi qui! » disse la signora Lacey. « E se trovate Horace un po' burbero » continuò « non fateci attenzione. È soltanto il suo modo di fare, sapete? »

Quello che, in realtà, aveva detto il colonnello Lacey era stato: « Non riesco a capire perché vuoi avere qui uno di quei maledetti forestieri a dar fastidio, proprio a Natale? Perché non può venire in un'altra occasione? Non riesco a sopportarli, gli stranieri! E va bene, va bene, dunque è stata Edwina Morecombe che ha chiesto se poteva mandarcelo. Ma mi piacerebbe sapere cosa c'entra *lei*? E perché non lo ha invitato a casa *sua*, per Natale? »

« Perché sai benissimo che Edwina va sempre al Claridge » aveva ribattuto la signora Lacey.

Suo marito le aveva lanciato un'occhiata penetrante e aveva detto: « Non avrai combinato qualcosa, vero, Em? »

« Combinato qualcosa? » aveva risposto Em

spalancando due occhi azzurrissimi. « No, naturalmente. Perché mai? »

Il vecchio colonnello Lacey era scoppiato in una risata profonda e rombante: « Oh, non me ne meraviglierei affatto, Em » aveva risposto. « Quando prendi quell'aria così innocente, stai sempre combinando qualcosa, tu! »

Ripensando a tutto questo, la signora Lacey proseguì: « Edwina mi aveva detto che, forse, voi avreste potuto aiutarci... in effetti non saprei esattamente come, ma ha detto che certi vostri amici, una volta, vi avevano trovato molto utile in... in un caso vagamente simile al nostro. Io... ecco... forse non sapete di che cosa sto parlando? »

Poirot la guardò con aria incoraggiante. La signora Lacey era vicina alla settantina, dritta come un bastone, con i capelli candidi come la neve, le guance rosee, gli occhi azzurri, un nasino spiritoso e il mento risoluto.

« Se c'è qualcosa che posso fare, ne sarò lietissimo » disse Poirot. « A quanto mi pare di capire, si tratta della disgraziata infatuazione di una ragazza. »

La signora Lacey annuì. « Sì, sembra incredibile che io debba... be', voglia parlarne proprio con voi. In fondo, siete *un perfetto sconosciuto...* »

« E *straniero*, per giunta » aggiunse Poirot, comprensivo.

« Sì » ammise la signora Lacey « ma forse, in un certo senso, questo semplifica le cose. Ad ogni modo, Edwina sembrava del parere che, forse, voi avreste potuto essere al corrente di qualcosa... come posso dire?... di qualcosa di utile nei riguardi del giovane Desmond Lee-Wortley. »

Poirot non rispose subito ma fece una pausa per ammirare l'ingegnosità del signor Jesmond e l'abilità con la quale si era servito di lady More-combe per i propri scopi.

« Mi pare di capire » cominciò con delica tezza « che il giovanotto non ha una reputazione delle migliori, vero? »

« No, affatto! Anzi, pessima! Ma, per quel che concerne Sarah, finora non ha avuto la mi-nima importanza. Di solito non serve mai, vero? andare a dire alle ragazze che certi uomini hanno una cattiva reputazione, eh? Anzi, le sprona an-cora di più! »

« Come avete ragione » disse Poirot.

« Quando ero giovane » continuò la signora Lacey – "Oh, povera me, quanto tempo è passato da allora!" – anche noi venivamo messe in guar dia contro certi giovanotti, e, naturalmente que-sto non faceva che rinfocolare il nostro interesse in loro, anzi facevamo il possibile per ballare con loro, oppure per trovarci a quattr'occhi nel buio della sera... » si mise a ridere. « Ecco perché non ho voluto che Horace facesse una delle cose che voleva fare. »

« Ditemi » chiese Poirot « che cos'è esatta-mente ciò che vi preoccupa? »

« Nostro figlio venne ucciso in guerra » disse la signora Lacey. « E mia nuora morì quando diede alla luce Sarah, così lei è sempre rimasta con noi, l'abbiamo allevata. Forse non l'abbia-mo allevata nel modo più saggio... non lo so

Ma abbiamo sempre pensato che era meglio concederle di essere il più libera possibile. »

« È consigliabile, credo » disse Poirot. « Non si può andare contro lo spirito dei tempi. »

« No » rispose la signora Lacey « ecco, è proprio quello che pensavo anch'io. E poi, oggigiorno, le ragazze fanno cose di questo genere. »

Poirot la guardò con aria interrogativa.

« Credo che mi potrei esprimere così » disse la signora Lacey « ecco, vedete, Sarah si è messa a frequentare gente di quart'ordine, diciamo. Non va ai balli, non vuole essere presentata in società come qualsiasi che si rispetti o cose del genere. Al contrario, abita in due brutti locali a Chelsea, giù vicino al fiume e si mette quei buffi vestiti che piacciono tanto a quelle del suo gruppo, e calze nere oppure verde prato. Molto pesanti. – Chissà come pizzicano, ho sempre pensato! – E va in giro senza pettinarsi o lavarsi i capelli. »

« *Ça, c'est tout à fait naturel* » disse Poirot. « È la moda del momento. Poi passa. »

« Sì, lo so » disse la signora Lacey. « E infatti non mi preoccuperei, *di questo*. Ma, vedete, ha cominciato questa relazione con Desmond Lee-Wortley e lui ha proprio una reputazione molto antipatica. Vive, più o meno, alle spalle delle ragazze ricche. Sembra che perdano la testa per lui. C'è mancato poco che non sposasse la figlia degli Hope, ma i suoi sono riusciti a metterla sotto tutela per mezzo del tribunale o qualcosa del genere. Naturalmente è proprio quello che vorrebbe fare Horace. Dice che è necessario per proteggerla. Io, invece, signor Poirot, non sono convinta che sia una buona idea. Cioè, voglio dire che finiranno semplicemente per scappare insieme e andare in Scozia o in Irlanda o in Argentina o chissà dove a sposarsi oppure a vivere insieme senza essere sposati. E anche se un'azione simile potrebbe essere interpretata come vilipendio alla Corte di giustizia e via dicendo... alla fin fine, non sarebbe affatto una soluzione, vi pare? Specialmente se ci fosse in viaggio un bambino. Perché, in un caso del genere, finiremmo per arrenderci, e lasciarli sposare. E poi, quasi sempre, almeno così mi pare, dopo un anno o due c'è il divorzio. Così la ragazza se ne ritorna a casa e, di solito, passato un altro paio di anni, sposa un bravo ragazzo talmente a posto da essere addirittura noioso, e si sistema. A me sembra, però, che sia tremendamente triste, se c'è di mezzo un bambino, perché non è la stessa cosa essere allevato da un patrigno, per quanto bravo e buono possa essere. No, credo proprio che sarebbe molto meglio se facessimo come si faceva quando io ero giovane. Voglio dire quando il primo giovanotto di cui ci si innamorava non era *mai* una persona consigliabile. Ricordo di aver fatto una vera e propria passione per un ragazzo che si chiamava... be', come si chiamava?... che strano, non riesco neanche a ricordarmi il suo nome di battesimo! Tibbitt, ecco. Tibbitt era il cognome. Il giovane Tibbitt. Naturalmente, mio padre gli aveva praticamente vietato di venire in casa nostra però lui veniva sempre invitato alle stesse feste dove ero invitata io e ballavamo insieme. Qualche volta ci eclissavamo dalla sala da ballo e andavamo in un angolo, seduti insieme, e di tanto in tanto i nostri amici organizzavano qualche picnic al quale andavamo tutti e due. Naturalmente, era tutto molto emozionante e proibito e ci si divertiva enormemente. Ma non si arrivava mai... non si arrivava mai *fino al punto* al quale arrivano oggi le ragazze. E così, dopo un po', il signor Tibbitt cominciò a ritirarsi a poco a poco dalla scena. Sapete che, quattro anni dopo, rivedendolo, mi sono chiesta, meravigliata, che cosa ci avevo *mai trovato* in lui? Mi sembrava un giovanotto così *noioso*! Poco fine, capite. E senza una conversazione interessante! »

« Si pensa sempre che i giorni della propria gioventù siano stati i migliori » disse Poirot, un po' sentenzioso.

« Lo so » rispose la signora Lacey. « Che noia, vero? E io non devo essere noiosa. Però, non *voglio* ugualmente che Sarah, una cara ragazza ve lo assicuro, finisca per sposare Desmond Lee-Wortley. Erano così buoni amici, lei e David Welwyn, che è qui, nostro ospite, così affezionati l'uno all'altro, che Horace e io avevamo la speranza una volta cresciuti, che si sposassero. Invece, com'è naturale, adesso lei lo trova noioso, ed è completamente infatuata di Desmond. »

« Non capisco del tutto, madame » disse Poirot. « Adesso lo avete qui in casa, come ospite, questo Desmond Lee-Wortley? »

« Quella è stata solo un'*idea mia* » disse la signora Lacey. « Horace voleva semplicemente impedirle di vederlo e cose simili. Naturalmente, ai tempi di Horace, il padre o il tutore della ragazza si sarebbero presentati a casa del giovanotto con un frustino in mano! Horace avrebbe voluto vietargli di venire in casa e proibire alla ragazza di vederlo. Gli ho detto che era proprio l'atteggiamento sbagliato da prendere! "No" gli ho detto. "Invitalo qui. Lo avremo qui, con noi, alla festa di Natale con tutta la famiglia." Naturalmente, mio marito ha ribattuto che ero pazza! Ma io ho detto "Ad ogni modo, caro, *proviamo*. Facciamo in modo che lei lo veda nella *nostra* atmosfera e nella *nostra* casa, saremo gentilissimi ed educatissimi con lui e chissà che, magari, lui non le sembri più così interessante!" »

« Credo che non sia stata una cattiva idea, la vostra, madame! » disse Poirot. « Mi pare che il vostro punto di vista sia molto saggio. Più saggio di quello di vostro marito. »

« Speriamo! » rispose dubbiosa la signora Lacey. « Finora non sembra che abbia funzionato molto. Però, naturalmente, c'è anche da dire che lui è qui solo da un paio di giorni. » Una fossetta insospettata si disegnò sulla sua guancia rugosa. « Vi confesserò una mia debolezza, signor Poirot. Io stessa non posso fare a meno di trovarlo simpatico. Cioè, non voglio dire che mi piaccia sul serio, *coscientemente*, però devo ammettere di subirne il fascino! Oh, sì, capisco benissimo quello che Sarah trova in lui. Ma io sono abbastanza vecchia e ho sufficiente esperienza per capire che non è affatto un bravo ragazzo. Anche se la sua compagnia mi piace. Per quanto devo ammettere » aggiunse la signora Lacey, un po' meditabonda, « che qualcosa di buono ce l'ha anche lui! Ha chiesto se poteva far venir qui sua sorella, sapete. Ha fatto un'operazione ed era in ospedale. E lui era talmente dispiaciuto che fosse in una casa di cura proprio a Natale che ha pensato se non sarebbe stato un disturbo troppo grosso farla venire qui con lui. Ha detto che le avrebbe portato i pasti in camera con le sue mani, e via dicendo. Be', non trovate che è stato *piuttosto carino* da parte sua, signor Poirot? »

« Rivela una natura premurosa » rispose Poirot, pensieroso « che sembrerebbe quasi in contrasto con il resto del suo carattere. »

« Oh, non saprei. Si possono sentire gli affetti familiari anche mirando a fare il colpo grosso di sposare una ragazza ricca. Sarah sarà *molto ricca*, sapete non soltanto per quello che le lasceremo noi – che, naturalmente non sarà moltissimo perché quasi tutto il nostro patrimonio va a Colin, mio nipote, insieme alla casa. Ma sua madre era ricchissima e Sarah erediterà tutto il suo denaro il giorno in cui compirà i ventun anni. Adesso ne ha solo venti. No, credo che sia stato carino, Desmond, a pensare alla sorella! Fra l'altro, non ha fatto finta che fosse una creatura meravigliosa o altro. Da quello che ho capito, lavora come steno-dattilografa... fa la segretaria a Londra. Ma lui ha mantenuto la parola, e le porta in camera il vassoio con i pasti. Non tutte le volte, naturalmente, ma molto spesso. Così trovo che ha qualche lato buono. Con tutto ciò » disse la signora Lacey in tono estremamente deciso « non voglio che Sarah lo sposi. »

« Da tutto quello che ho udito e mi è stato

raccontato » ammise Poirot « sarebbe un vero disastro. »

« Credete possibile aiutarci in qualche modo? » domandò la signora Lacey.

« Credo che sia possibile, sì » rispose Hercule Poirot « ma non mi sento di promettere troppo. Perché i Desmond Lee-Wortley che popolano questo mondo, sono furbi, madame. Tuttavia, non disperate. Forse si riuscirà a far qualcosa. In ogni modo, vi dedicherò i miei sforzi migliori, se non altro in segno di gratitudine per avermi invitato qui per questa festa natalizia. » Si guardò intorno. « E non sempre è facile, di questi tempi, avere una festa natalizia! »

« No, davvero » sospirò la signora Lacey. Si sporse verso di lui. « Lo sapete, signor Poirot, qual'è il mio grande sogno... che cosa mi piacerebbe immensamente avere? »

« No. Ma ditemelo, madame. »

« Oh, come vorrei avere una villetta piccola, moderna! No, magari non proprio una villetta, ma una casa piccola, moderna, facile da mandare avanti, costruita qui, in un punto del parco... e viverci con una cucina modernissima e niente corridoi chilometrici! Ogni cosa facile e semplice. »

« Un'idea molto pratica, madame. »

« Per me, non lo è affatto » disse la signora Lacey. « Mio marito *adora* questo posto. Gli piace immensamente vivere qui. Non gliene importa se c'è qualche scomodità. Non ci bada, ai fastidi, e detesterebbe, vi garantisco che detesterebbe assolutamente, vivere in una casetta moderna, nel parco! »

« Così vi sacrificate ai suoi desideri? »

La signora Lacey si raddrizzò sulla persona. « Non lo considero un sacrificio, signor Poirot » disse. « Ho sposato mio marito con il desiderio di renderlo felice. È stato un buon marito per me e mi ha reso molto felice in tutti questi anni e io desidero ricambiargli tutta questa felicità! »

« Così continuerete a vivere qui » disse Poirot.

« Non è poi così scomodo, dopo tutto » sussurrò la signora Lacey.

« Non è poi così scomodo, dopo tutto » sussurrò, « è comodissimo. Il vostro impianto centrale di riscaldamento e quello dell'acqua per i bagni sono perfetti. »

« Spendiamo un mucchio di soldi per rendere comoda e accogliente la casa in cui abitare » disse la signora Lacey. « Siamo riusciti a vendere certi terreni. Proprio al momento in cui erano pronti per lo sfruttamento immobiliare, credo che lo chiamino così! Per fortuna non si vede niente qui, dalla casa, perché si trovano all'altra estremità del parco. In effetti si tratta di un'estensione di terreno piuttosto brutta, senza vista, ma abbiamo ottenuto un ottimo prezzo. Così abbiamo potuto fare in casa tutte le migliorie possibili. »

« Ma, il servizio, madame? »

« Oh, bene, presenta meno difficoltà di quello che potreste pensare. Naturalmente, non ci si può aspettare di essere serviti con tutte le premure a cui eravamo abituati. Dal villaggio vengono diverse persone. Due donne al mattino, altre due per cucinare il pranzo e rigovernare, e altre ancora, diverse, alla sera. C'è moltissima gente disposta a venire a lavorare solo per poche ore al giorno. Naturalmente, per Natale, siamo molto fortunati. La mia cara signora Ross viene sempre per Natale: è un'ottima cuoca, veramente di prim'ordine. Ormai sono dieci anni che è andata in pensione, però viene sempre ad aiutarci nei momenti di emergenza. E poi, c'è anche il caro Peverell. »

« Il vostro maggiordomo? »

« Sì. Anche lui, ormai, non lavora più e vive in una casetta vicino alla portineria, ma ci è tanto devoto, e insiste sempre per venire a servire in tavola a Natale. A dire la verità, signor Poirot, sono terrorizzata perché è talmente vecchio e vacillante che sono sicura che se dovesse portare qualcosa di troppo pesante, me lo lascerebbe cadere. È un'angoscia guardarlo! E poi anche il suo cuore fa i capricci e ho paura che il pover'uomo si stanchi troppo. Ma resterebbe addoloratissimo se non lo lasciassi venire! Fa un mucchio di "ehm!" e "ah" e di borbottii di disapprovazione quando vede lo stato in cui si trova la nostra argenteria, tant'è che tre giorni dopo il suo arrivo, tutto torna splendente come una volta. Sì. È un caro amico fedele. » Sorrise a Poirot. « Così, vedete, siamo tutti pronti per un lieto Natale. E un bianco Natale, anche! » aggiunse, guardando fuori dalla finestra. « Vedete? Sta cominciando a nevicare. Ah, ecco che i ragazzi rientrano. Desidero farveli conoscere, signor Poirot. »

Poirot venne presentato con le dovute cerimonie. Prima a Colin e a Michael, il nipotino con il suo compagno di scuola, simpatici ed educati quindicenni, uno bruno, uno biondo. Poi alla loro cuginetta, la bruna Bridget la quale aveva la loro stessa età e sembrava dotata di un'enorme vitalità.

« E questa è mia nipote Sarah » disse la signora Lacey.

Poirot considerò con discreto interesse Sarah, una bella ragazza dalla fluente chioma rossa arruffata; gli parve che il suo modo di fare fosse un tantino sfacciato e strafottente, però notò che mostrava un sincero affetto per la nonna.

« E questo è il signor Desmond Lee-Wortley. »

Il signor Desmond Lee-Wortley portava un maglione di lana grossa da pescatore e un paio di jeans neri, attillatissimi; aveva i capelli piuttosto lunghi e non si riusciva a capire se si fosse sbarbato, quella mattina. Spiccava, invece, in contrasto con lui, un giovanotto che gli venne presentato come David Welwyn, il quale era un tipo quadrato e taciturno, aveva un bel sorriso e mostrava chiaramente di usare con abbondanza acqua e sapone. C'era un'altra persona nel gruppo: una ragazza bella e dall'espressione emotiva e sensibile, che gli venne presentata, era Diana Middleton.

Fu servito il tè. Un robusto pasto a base di panini dolci, pasticcini, tartine e tre tipi diversi di torte. I più giovani della compagnia lo apprezzarono molto. Da ultimo arrivò il colonnello Lacey, osservando con voce distratta: « Ah, il tè? Oh, sì, il tè ».

Accettò la tazza che gli porgeva la moglie, si servì di due panini dolci, lanciò un'occhiata di avversione a Desmond Lee-Wortley e andò a sedersi il più lontano possibile da lui. Era un omone grande e grosso con sopracciglia a cespuglio e una faccia rossa, cotta dal sole e dalle intemperie. Avrebbe potuto esser preso per un contadino piuttosto che per il padrone del castello.

« Ha cominciato a nevicare » disse. « Sarà proprio un bianco Natale. »

Dopo il tè, la compagnia si sciolse.

« Immagino che andranno a suonare un po' di musica con le loro mangiacassette, adesso » disse la signora Lacey a Poirot. Seguì con un'occhiata indulgente il nipotino che usciva dalla sala. Dal tono della sua voce, fu come se avesse detto: "Adesso i bambini vanno a giocare con i soldatini di piombo".

« Naturalmente adorano servirsi di tutti quei termini tecnici » disse « e se ne vantano in un modo incredibile. »

In realtà i due ragazzi e Bridget avevano deciso di andare giù fino al lago a vedere se il ghiaccio consentiva di pattinarci sopra.

« Io credevo che avremmo potuto pattinare stamattina » disse Colin. « Ma il vecchio Hodgkins ha detto di no. È sempre pieno di mille cautele, quello! »

« Andiamo a fare quattro passi, David » mormorò dolcemente Diana Middleton.

David esitò per un attimo con gli occhi fissi sulla testa rossa di Sarah. Era in piedi, vicino a Desmond Lee-Wortley, gli teneva una mano sul braccio e con gli occhi alzati, lo fissava in faccia.

« Va bene » disse David Welwyn « sì, andiamo. »

Diana lo prese rapidamente sottobraccio e si avviarono verso la porta del giardino. Sarah disse:

« Vogliamo andare anche noi, Desmond? C'è un'aria così soffocante in casa. »

« Chi ha voglia di camminare? » disse Desmond. « Tiro fuori la macchina. Andiamo fino al Cinghiale Screziato a bere qualcosa. »

Sarah ebbe un attimo di esitazione prima di rispondere: « Andiamo al Leprotto Bianco di Market Ledbury. È molto più divertente ».

Per quanto non fosse disposta nemmeno per tutto l'oro del mondo a formularla a parole, Sarah provava una ripugnanza istintiva all'idea di andar giù al *pub* locale in compagnia di Desmond. Era, tutto sommato, una cosa che faceva a pugni con le tradizioni di Kings Lacey. Le donne di Kings Lacey non avevano mai frequentato il Cinghiale Screziato. Intuiva oscuramente che, andarci, sarebbe stato come tradire il vecchio colonnello Lacey e sua moglie. E perché no? Avrebbe detto Desmond Lee-Wortley. Provando un istante di esasperazione, Sarah sentì che lui avrebbe dovuto capirlo, perché non si poteva fare! Non si dovevano mettere in agitazione due adorabili vecchietti come il nonno e la cara Em, se non era assolutamente necessario! Erano stati molto carini, in fondo, a lasciarle fare la propria vita, e anche se non avevano assolutamente capito perché lei voleva vivere a Chelsea a quel modo, lo avevano accettato. Tutto merito di Em, naturalmente. Il nonno chissà che scenate avrebbe fatto, invece!

Sarah non si faceva illusioni sull'atteggiamento del nonno. Non c'entrava lui, nell'invito che era stato fatto a Desmond di andare a Kings Lacey. Era stata Em a volerlo, Em era un tesoro e lo sarebbe sempre stata.

Quando Desmond fu andato a prendere la macchina, Sarah mise di nuovo la testa in salotto.

« Andiamo a Market Ledbury » disse. « Pensavamo di fermarci a bere qualcosa al Leprotto Bianco. »

C'era una lieve intonazione di sfida nella sua voce, ma sembrò che la signora Lacey non la notasse.

« Bene, cara » rispose « sono sicura che sarà molto divertente. David e Diana sono andati a fare una passeggiata, vedo. Ne sono così contenta. Credo proprio che sia stata un'idea luminosa, la mia, di invitarla qui. È ben triste restare vedova così giovane a soli ventidue anni, e spero proprio che si sposi di nuovo, *presto.* »

Sarah la osservò attentamente: « Cosa stai macchinando, Em? ».

« Oh, un mio piccolo progetto » rispose tutta allegra la signora Lacey. « Credo che sia proprio la persona che ci vuole per David. Naturalmente so benissimo che era innamorato cotto di *te,* Sarah carissima, però tu non andresti bene per lui, mi rendo conto che non è il tuo tipo. Ma non voglio che continui ad essere infelice, e credo che Diana vada proprio bene per lui. »

« Ti metti a combinare matrimoni, Em? » l'accusò Sarah.

« Lo so » rispose la signora Lacey. « Le vecchie lo fanno sempre. Mi pare che lui a Diana piaccia già parecchio. Non trovi che sarebbe proprio la persona adatta per David? »

« Non direi » rispose Sarah. « Diana è troppo... be', troppo ipersensibile, troppo seria. Credo che David troverebbe molto noioso il matrimonio con lei. »

« Bene, vedremo » disse la signora Lacey. « Ad ogni modo, tu non lo vuoi, vero, cara? »

« No davvero! » ribatté Sarah, troppo precipitosamente. Poi aggiunse, d'impeto: « Ti piace Desmond, vero, Em? ».

« Sono sicura che dev'essere molto simpatico » disse la signora Lacey.

« Al nonno, non piace » disse Sarah.

« Non puoi aspettartelo, ti sembra? » disse in tono logico la signora Lacey. « Però oso dire che finirà per piacergli, una volta che si sarà abituato all'idea. Non devi fargli fretta, Sarah mia cara. I vecchi sono lenti nel cambiare idea e tuo nonno è *piuttosto* ostinato. »

« Non me ne importa niente di quello che il nonno dice o pensa » replicò Sarah. « Sposerò Desmond quando vorrò! »

« Lo so, cara, lo so. Ma cerca di essere realistica. Tuo nonno potrebbe crearti un sacco di guai, lo sai, vero? Non sei ancora maggiorenne. Fra un anno potrai fare quello che vorrai. E mi aspetto che Horace avrà accettato l'idea molto tempo prima di quel giorno. »

« Tu tieni le mie parti, vero, cara? » disse Sarah. E buttò le braccia al collo alla nonna, dandole un bacio affettuoso.

« Voglio che tu sia felice » disse la signora Lacey. « Ah! ecco il tuo ragazzo che arriva con la macchina. Sai che mi piacciono quei pantaloni così attillati che i giovanotti portano oggigiorno? Sembrano molto eleganti... solo che, naturalmente, mettono in risalto le gambe a X. »

Sì, pensò Sarah, effettivamente Desmond *aveva proprio* le gambe a X, e lei non se ne era mai accorta prima...

« Vai, cara, divertiti » disse la signora Lacey.

La seguì con gli occhi finché non la vide raggiungere la macchina e poi, ricordando l'ospite straniero, raggiunse la biblioteca. Tuttavia, quando guardò dentro, si accorse che Hercule Poirot stava facendo un piacevole pisolino e – sorridendo tra sé – attraversò l'atrio e passò in cucina per confabulare con la signora Ross.

« Vieni, bellezza » disse Desmond. « La tua famiglia ha il pelo ritto sulla schiena perché vai al *pub*? Sono dei trogloditi, in questo, eh? »

« Niente affatto, non hanno piantato nessuna grana » disse Sarah con asprezza, salendo in macchina.

« Come è saltato in mente ai tuoi di aver qui ospite quel tizio straniero? È un detective, vero? Che bisogno c'è di lui, qui? »

« Oh, non è venuto per un incarico professionale » disse Sarah. « Edwina Morecombe, la mia madrina, ci ha chiesto di invitarlo. Credo che ormai si sia ritirato dalla professione molto tempo fa. »

« Sembra un vecchio ronzino bolso » disse Desmond.

« Voleva vedere come si festeggia un Natale inglese all'antica, credo » disse Sarah, piuttosto vaga.

Desmond scoppiò in una risata sprezzante « Un mucchio di scemenze, questo genere di cose » disse. « Non riesco a capire come fai a sopportarlo. »

Sarah buttò indietro la chioma fulva e alzò aggressivamente il mento.

« A me piace! » disse in tono di sfida.

« Non so come fai, piccola. Tagliamo la corda domani. Andiamocene a Scarborough o in qualche altro posto del genere. »

« No, sarebbe impossibile. »

« Ma perché? »

« Li offenderei. »

« Oh, cavoli! Sai benissimo che tutte queste cretinaggini sentimentali e bambinesche ti scocciano da morire. »

« Forse non mi piacciono alla follia, però... » Sarah si interruppe a metà frase. Si stava accorgendo con un gran senso di colpa di pregustare con gioia la celebrazione del Natale. Tutto, in quella festa, la divertiva, ma si vergognava di ammetterlo di fronte a Desmond. Non andava bene divertirsi a Natale e passare quella festa in famiglia. Per un attimo, rimpianse che Desmond fosse venuto a Kings Lacey per le feste. Anzi, a dire la verità, avrebbe quasi preferito che Desmond non fosse venuto del tutto. Era molto più divertente vedersi con lui a Londra che non qui, a casa.

Intanto i ragazzi e Bridget stavano tornando indietro dal lago, ancora immersi seriamente nella soluzione del problema del pattinaggio. Cominciava a cadere qualche fiocco di neve, e bastava alzare gli occhi a guardare il cielo per prevedere che, presto, ci sarebbe stata una nevicata abbondante.

« Nevicherà tutta la notte » disse Colin. « Ci scommetto che la mattina di Natale avremo mezzo metro di neve. »

La prospettiva era piacevole.

« Facciamo un uomo di neve » disse Michael.

« Oh, dio » disse Colin « non faccio un uomo di neve da... be', da quando avevo quattro anni, almeno! »

« Secondo me, non dev'essere facile » disse Bridget. « Cioè, ci vuole una tecnica, insomma. »

« Potremmo farlo somigliante al signor Poirot » disse Colin. « Con un paio di baffoni neri. Ci sono, sapete, nella scatola della roba per mettersi in maschera. »

« Sapete una cosa? » disse Michael pensieroso « non riesco a capire come il signor Poirot poteva fare il detective. Non vedo come riusciva a camuffarsi, cambiandosi i connotati. »

« Già » disse Bridget « ma non si riesce neanche a immaginarlo mentre corre in giro con un microscopio a cercare indizi e a prendere le misure delle impronte dei passi della gente! »

« Mi è venuta un'idea » esclamò Colin. « Organizziamogli uno spettacolino! »

« Cosa vorresti dire? » domandò Bridget.

« Combiniamo un delitto tutto per lui. »

« Che idea da favola! » disse Bridget. « Vuoi dire un cadavere nella neve... roba del genere, insomma? »

« Sì. In questo modo, si sentirebbe a suo agio, non ti pare? »

Bridget scoppiò in una risatina.

« Non so se me la sento di arrivare fino a questo punto! »

« Se nevica » continuò Colin « avremo uno scenario perfetto. Un cadavere e delle orme... però bisognerà pensarci con attenzione e sgraffignare uno dei pugnali del nonno e trovare il modo di fare un po' di sangue. »

Si fermarono e, senza badare alla neve che cadeva sempre più fitta, si immersero in una discussione animata.

« Nella vecchia stanza di studio, c'è la scatola degli acquarelli. Si potrebbe mescolare un po' di colori per fare il sangue... il rosso lacca, per esempio. »

« È un po' troppo sul rosa, secondo me » disse Bridget. « Dovrebbe essere un po' più sul ruggine. »

« Chi farà il cadavere? » domandò Michael.

« Io » disse Bridget, pronta.

« Oh, senti un po' » esclamò Colin. « Sono stato *io* ad avere questa idea! »

« No, no, devo essere io » disse Bridget. « Dev'essere una ragazza. È più emozionante. Una ragazza affascinante, priva di vita, fra la neve. »

« Una ragazza affascinante... ha, ha! » ridacchiò Michael in tono di derisione.

« E poi, ho anche i capelli neri » disse Bridget.

« E questo, cosa c'entra? »

« Faranno un bellissimo contrasto sulla neve, e metterò il pigiama rosso. »

« Se metti il pigiama rosso, non si vedono più le macchie di sangue » disse Michael in tono pratico.

« Però farebbe un effettone sulla neve » disse Bridget, « e poi, ha anche i risvolti bianchi, così il sangue potremmo versarlo lì sopra. Oh, non sarà fantastico? Cosa credete? Che abboccherà? »

« Certo, se prepariamo tutto abbastanza bene » disse Michael. « Sulla neve lasceremo soltanto le tue orme e quelle di un'altra persona, che vanno verso il corpo e poi ne tornano indietro... quelle di un uomo, naturalmente. Lui non vorrà pestarle perché non si rovinino e così non capirà che tu non sei veramente morta. Non pensate... » esclamò Michael, fermandosi, colpito improvvisamente da un'idea. Gli altri lo guardarono. « Non pensate che lo *scoccerà*, questa faccenda? »

« Oh, non direi » ribatté Bridget con facile ottimismo. « Sono sicura che capirà che lo abbiamo fatto solo per divertirlo. Una specie di regalo di Natale. »

« Secondo me, non bisognerebbe farlo il giorno di Natale » disse Colin, pensandoci un momento. « Non credo che il nonno sarebbe molto contento. »

« Allora, per Santo Stefano » disse Bridget.

« Ecco Santo Stefano andrebbe benissimo » disse Michael.

« E poi, in questo modo, avremo un po' più di tempo » continuò Bridget. « In fondo, c'è un sacco di roba da organizzare. Andiamo a vedere se in casa c'è tutto l'occorrente. »

Ed entrarono rapidamente in casa.

Ci fu molto da fare durante la serata. Vischio e agrifoglio erano stati portati in casa in grandi quantità e l'albero di Natale fu sistemato in un angolo della sala da pranzo. Tutti contribuirono alla sua decorazione, a infilare rami di agrifoglio dietro le cornici dei quadri e ad appendere un mazzo di vischio in posizione conveniente, nell'atrio.

« Non immaginavo che resistessero ancora usanze così arcaiche » mormorò Desmond a Sarah con una smorfia.

« Lo abbiamo sempre fatto, noi » disse Sarah, sulla difensiva.

« Non è una buona ragione! »

« Oh, non essere noioso, Desmond. Io lo trovo divertente! »

« Sarah, amor mio, *non è possibile*! »

« Be', non... forse non proprio sul serio ma... in un certo senso, sì. »

« Chi avrà il coraggio di affrontare la neve per andare alla messa di mezzanotte? » domandò la signora Lacey quando mancarono venti minuti allo scoccare di quell'ora.

« Io, no » disse Desmond. « Vieni, Sarah. » Posandole una mano sul braccio, la guidò in biblioteca dove si diresse subito verso l'armadietto dei dischi.

« Ci sono dei limiti, tesoro » disse. « La messa di mezzanotte! »

« Sì » disse Sarah. « Oh, certo. »

Con grandi risate, imbacuccati fino agli occhi e fra un grande pasticciare di neve, quasi tutti gli altri si misero in cammino. I due ragazzi, Bridget, David e Diana si avviarono verso la chiesa, distante una decina di minuti di cammino, fra la neve che cadeva. Le loro risate si smorzarono a poco a poco, allontanandosi.

« Messa di mezzanotte! » brontolò sbuffando il colonnello Lacey. « Mai andato alla messa di mezzanotte quando ero ragazzo. *Messa*, ma guarda un po'! Roba papista, ecco! Oh, vi chiedo scusa, signor Poirot. »

Poirot fece un lieve gesto. « Per carità! Non badate a me. »

« La funzione del mattino dovrebbe essere più che sufficiente per chiunque, secondo me » continuò il colonnello. « Un bel servizio religioso della domenica. *Ascolta gli angeli messaggeri cantano*, e tutti i bei, vecchi inni natalizi. E poi, indietro, a casa, per il pranzo di Natale. Non è così, eh, Em? »

« Sì, caro » disse la signora Lacey. « È così che facciamo *noi*. Ma ai giovani piace la funzione di mezzanotte. Ed è bello, sul serio, che provino il desiderio di andarci! »

« Sarah e quel bel tipo non ci sono voluti andare. »

« Ecco, mio caro, su questo credo che tu abbia torto » disse la signora Lacey. « Sarah, lo sai?, *sì* che voleva andarci... ma non le garbava di ammetterlo. »

« Non riesco a capire perché le importi tanto dell'opinione di quell'individuo. »

« È molto giovane, ecco! » disse placidamente la signora Lacey. « Andate a letto, signor Poirot? Buona notte. Spero che dormirete bene. »

« E voi, madame? Non andate ancora a letto? »

« Non ancora » disse la signora Lacey. « Vedete, ho le calze da riempire. Oh, lo so che ormai non sono più bambini, anzi, praticamente, sono adulti, ma hanno un tal debole per la storia delle calze! Così ci si mette dentro qualcosina per scherzo. Cosette da niente. Però è molto divertente. »

« Lavorate con molto impegno per rendere lieta questa casa per il Natale » disse Poirot. « Vi ammiro. »

E si portò la mano della signora Lacey alle labbra con un gesto pieno di galanteria.

« Hmm » borbottò il colonnello Lacey quando Poirot si fu ritirato. « Tutto salamelecchi, quel tizio... Però... ti apprezza. »

La signora Lacey gli rivolse un sorriso che era tutto una fossetta. « Horace, non ti sei accorto che sono sotto il vischio? » gli domandò, con tutto il pudico candore di una ragazza di diciannove anni.

Hercule Poirot entrò nella sua camera da letto. Era molto vasta e ben provvista di termosifoni. Mentre si dirigeva verso il grande letto a baldacchino, notò una busta posata sul cuscino. La aprì e ne estrasse un foglio di carta. Sopra vi era scritto a caratteri maiuscoli, vergati con mano tremante:

NON MANGIATE IL DOLCE. UNA PERSONA CHE VI AUGURA OGNI BENE.

Hercule Poirot restò un momento a fissare il messaggio. Poi le sue sopracciglia si alzarono. « Ermetico » mormorò « e assolutamente inaspettato. »

Il pranzo di Natale cominciò alle quattordici e fu davvero una gran festa. Ciocchi di legna giganteschi scoppiettavano allegramente nel grande camino e una babele di molte lingue che chiacchieravano tutte insieme si fondeva e sovrastava il loro allegro scoppiettio. La zuppa di ostriche era già stata consumata, due enormi tacchini erano arrivati e riportati via, ridotti alla pura e semplice carcassa di ciò che erano stati in precedenza. Ed ora, al momento supremo, ecco che il dolce di Natale veniva servito in tavola con tutte le cerimonie del caso! Il vecchio Peverell, mani e ginocchia tremanti per la debolezza degli ottant'anni, non permetteva mai a nessun altro di portarlo in tavola. La signora Lacey, seduta al suo posto, si stringeva le mani intrecciate per il nervosismo e l'apprensione. Un Natale, ne era certa, Peverell sarebbe crollato sul pavimento, morto. Ma dovendo scegliere fra il rischio di vederlo crollare cadavere al suolo o il provocargli un tale senso di dolore e di offesa che il poveretto, probabilmente, avrebbe preferito morire all'istante piuttosto che sopravvivere, aveva optato per la prima alternativa. Sul piatto d'argento, il dolce di Natale riposava in tutto il suo splendore. Era grosso come un pallone da football, portava infilato un ramoscello di agrifoglio come una bandierina trionfante ed era circondato da un cerchio di magnifiche fiamme blu e rosse. Ci furono grida di entusiasmo e esclamazioni piene di ammirazione.

Però la signora Lacey aveva fatto una cosa: era riuscita a convincere Peverell a posare il piatto con il dolce davanti a lei, invece di portarlo in giro per tutta la tavola, a far servire i presenti uno per uno. Avrebbe distribuito lei le porzioni. Rapidamente i piatti vennero passati tutt'intorno, con le fiamme che lambivano ancora le singole porzioni.

« Esprimete un desiderio, signor Poirot » esclamò Bridget. « Esprimete un desiderio prima che le fiamme si spengano. Presto, nonnina cara, presto. »

La signora Lacey si appoggiò allo schienale della sedia con un sospiro di soddisfazione. L'operazione Dolce di Natale era stato un successo. Eccone una fetta davanti a ciascuno, con le fiamme che ancora le avviluppavano. Ci fu un momentaneo silenzio intorno alla tavola mentre tutti formulavano in silenzio il loro desiderio.

Così nessuno si accorse dell'espressione, piuttosto strana, che si era disegnata sulla faccia del signor Poirot, mentre esaminava la porzione che aveva sul piatto. "*Non mangiate il dolce.*" Cosa diavolo voleva dire quel sinistro avvertimento? Possibile che ci fosse qualcosa di diverso fra la sua porzione di dolce e quella di chiunque altro! Sospirando, dovette ammettere con se stesso di essere sconcertato – e a Hercule Poirot non piaceva mai ammetterlo: poi afferrò cucchiaio e forchetta.

« Un po' di crema, signor Poirot? »

Poirot si servì abbondantemente di quella crema appetitosa.

« Hai adoperato di nuovo il mio *brandy* migliore, eh, Em? » disse bonariamente il colonnello dall'altro capo della tavola. La signora Lacey gli strizzò un occhio.

« La signora Ross insiste sempre per avere il brandy migliore, caro » disse. « Secondo lei, fa una gran differenza. »

« Bene, bene » disse il colonnello Lacey. « Natale capita solo una volta all'anno e la signora Ross è una gran donna! Una gran donna e una gran cuoca. »

« Proprio vero » disse Colin. « Un dolce da favola, questo. Mmmmmm. » E si riempì la bocca golosa.

Delicatamente, quasi con precauzione, Hercule Poirot attaccò la propria porzione di dolce. Ne mangiò un boccone. Era squisito! Ne mangiò un altro. Qualcosa tintinnò lievemente sul suo piatto. Indagò con la forchetta. Bridget, che sedeva alla sua sinistra, gli venne in aiuto.

« Avete trovato qualcosa, signor Poirot? » disse. « Chissà di che cosa si tratta. »

Poirot distaccò un oggettino d'argento dall'uva passa circostante che gli si era appiccicata.

« Oooooh! » esclamò Bridget. « È il bottone dello scapolo! Il signor Poirot ha trovato il bottone dello scapolo! »

Hercule Poirot immerse il bottoncino d'argento nella coppetta con l'acqua per le dita che si trovava di fianco al suo piatto, e lo ripulì con cura dalle briciole di dolce.

« È molto carino » disse.

« Vuol dire che siete destinato a rimanere scapolo, signor Poirot » esclamò Colin con l'intenzione di rendersi utile.

« C'era da aspettarselo » disse Poirot in tono grave. « Sono stato scapolo per talmente tanti anni! Ed è abbastanza improbabile che debba cambiare stato civile adesso! »

« Oh, non si può mai sapere » disse Michael. « Ho letto sul giornale l'altro giorno che un tale di novantacinque anni aveva sposato una ragazza di ventidue. »

« È un incoraggiamento per me » disse Hercule Poirot.

Il colonnello Lacey proruppe all'improvviso in una esclamazione. Diventò paonazzo e si portò una mano alla bocca.

« Accidenti, Emmeline » ruggì « perché diavolo hai permesso alla tua cuoca di mettere dei vetri nel dolce? »

« Vetri! » esclamò la signora Lacey sbalordita.

Il colonnello Lacey tirò fuori di bocca l'offensiva materia. « Avrei potuto rompermi un dente » bofonchiò. « O inghiottire quest'accidente e farmi venire l'appendicite. »

Lasciò cadere il pezzettino di vetro nella coppetta per le dita, la lavò e la sollevò.

« Che Dio mi benedica! » esclamò sbalordito. « Dev'essere una pietra finta saltata via da una di quelle spille che ci sono nei pacchetti a sorpresa, con il petardo! » E lo sollevò.

« Permettete? »

Con molta abilità, il signor Poirot si era allungato oltre la sua vicina di tavola, l'aveva tolta dalle dita del colonnello e si era messo a esaminarla con attenzione. Come aveva detto lo *squire*, era una pietra rossa, enorme, dal colore di rubino. Mentre la girava fra le dita, da ogni sfaccettatura, colpita dalla luce, si levò uno scintillio. In un punto imprecisato, intorno al tavolo, una sedia venne sospinta bruscamente indietro, e poi avvicinata di nuovo.

« Perbacco! » esclamò Michael. « Che colpo se fosse *vera*! »

« Forse lo è » disse Bridget speranzosa.

« Oh, non dire idiozie, Bridget. Figuriamoci! Un rubino di quella grossezza varrebbe migliaia e migliaia e migliaia di sterline. Non è vero, signor Poirot? »

« Proprio così » confermò Poirot.

« Ma quello che *io* non capisco » disse la signora Lacey « è come ha fatto a finire nel dolce. »

« Ooooh! » esclamò Colin, distratto dall'ultimo boccone « mi è capitato il porcello. Non è giusto. »

Bridget si mise subito a fargli il verso: « Colin ha avuto il porcello! Colin ha avuto il porcello! Colin è un *porcello* che mangia da scoppiare! »

« Io ho avuto l'anello » disse Diana con voce alta e limpida.

« Buon per te, Diana. Sarai la prima a sposarti fra tutti noi. »

« A me è capitato il ditale! » piagnucolò Bridget.

« Bridget sarà una vecchia zitella » proclamarono a gran voce i due ragazzi, in coro. « Sì, Bridget diventerà una vecchia zitella! »

« Chi ha avuto i quattrini? » domandò David. « In questo dolce c'è una moneta da dieci scellini, in oro, autentica! Lo so perché me lo ha detto la signora Ross. »

« Credo di essere io il fortunato mortale » disse Desmond Lee-Wortley.

I due vicini di tavolo del colonnello Lacey lo udirono borbottare: « Sì, c'era da immaginarlo ».

« Guarda un po'! » disse David. « Ho avuto anch'io un anello. » E guardò Diana attraverso la tavola. « Che coincidenza, vero? »

Le risate continuarono. Nessuno si accorse che il signor Poirot si era infilato in tasca con noncuranza, come soprappensiero, la pietra rossa.

Al dolce, fecero seguito i pasticcini di frutta secca e i biscotti natalizi. Poi le persone più anziane si ritirarono per un ben meritato riposino prima della cerimonia, prevista per l'ora del tè, dell'illuminazione dell'albero di Natale. Tuttavia Hercule Poirot non andò affatto a riposarsi. Al contrario, raggiunse l'enorme cucina all'antica.

« È permesso » chiese, guardandosi intorno e illuminandosi tutto di compiacimento « congratularsi con la cuoca per il magnifico pranzo che ho appena mangiato? »

Ci fu un momento di pausa e poi la signora Ross si fece avanti solennemente ad accoglierlo. Era un donnone grande e grosso, dalla corporatura imponente, con tutta la dignità di una duchessa da commedia. Due donne magre, con i capelli grigi, erano alle sue spalle, intente a lavare i piatti davanti all'acquaio, e una ragazza con i capelli color paglia andava e veniva dallo stanzino dell'acquaio alla cucina. Ma quelle, evidentemente, erano soltanto le schiave: la vera regina delle cucine era la signora Ross.

« Sono lieta che vi sia piaciuto » disse con degnazione.

« Piaciuto! » esclamò Hercule Poirot. Con un bizzarro gesto da forestiero, si portò la propria mano alle labbra, la baciò, e poi soffiò il bacio verso il soffitto. « Ma voi siete un genio, signora Ross! Un autentico genio! *Mai*, mai mi è capitato di gustare un pasto più squisito. La zuppa di ostriche... » fece uno schiocco espressivo con le labbra. « E il ripieno. Il ripieno di castagne nel tacchino, quello è stato un'esperienza unica! »

« È curioso sentirvelo dire, signore » disse con benevolenza la signora Ross. « È una ricetta assolutamente speciale, quella del ripieno. Me l'ha data uno *chef* austriaco con il quale ho lavorato molti anni fa. Ma tutto il resto » aggiunse « è semplice, buona cucina inglese. »

« C'è forse qualcosa di meglio? » domandò Hercule Poirot.

« Siete gentile a dirlo, signore. Naturalmente, visto che siete forestiero, forse avreste preferito lo stile continentale. Per quanto, credo di riuscire a cavarmela anche con la cucina continentale io! »

« Sono sicuro, signora Ross, che sappiate cavarvela con qualsiasi cucina! Ma dovete sapere che quella inglese, la *buona* cucina inglese, non quella che si trova negli alberghi o nei ristoranti di second'ordine, è molto apprezzata dai *gourmets* del Continente, e credo di non sbagliare dicendo che, al principio del Settecento, è stata fatta addirittura una spedizione a Londra per portare in Francia i meravigliosi dolci e budini inglesi. "Non abbiamo niente di simile in Francia" scrissero quelli che erano venuti qui. "Un viaggio a Londra merita di essere fatto soltanto per gustare tutta la varietà e la squisitezza dei dolci inglesi". Ma più di tutti gli altri » continuò Poirot ormai lanciato in una specie di rapsodia « c'è il dolce di Natale, proprio come quello che abbiamo mangiato oggi. Era fatto in casa, vero? Non acquistato fuori? »

« Sì, certamente, signore. Preparato da me con la mia ricetta che adopero da molti anni. Quando sono venuta qui la signora Lacey mi disse di aver ordinato il dolce di Natale in un negozio di Londra per risparmiarmi questa fatica. Ma no, signora, ho detto io, per quanto sia stato gentile da parte vostra, nessun dolce comprato in una pasticceria può stare alla pari di quello che viene fatto in casa. Badate bene » continuò la signora Ross, accalorandosi su questo argomento da vera artista, come in realtà era « che veniva preparato molto tempo prima del giorno di Natale. Un buon dolce di Natale dovrebbe esser fatto varie settimane prima e poi lasciato lì a riposare. Più stanno lì, naturalmente per un periodo di tempo ragionevole, e più buoni sono. Ricordo ancora che, quando ero bambina e andavamo in chiesa ogni domenica, aspettavamo sempre l'orazione che comincia così: "Dacci tu la forza, o Signore, noi ti preghiamo" perché quell'orazione era il segnale che il dolce doveva essere fatto in quella settimana. Così avremmo dovuto fare anche qui, quest'anno. Invece è stato preparato soltanto tre giorni fa, il giorno in cui siete arrivato voi, signore. Comunque, io ho mantenuto le antiche usanze. Tutte le persone di casa sono venute in cucina a dargli una mescolatina e a esprimere un desiderio. È un'usanza dei vecchi tempi, signore, e io faccio in modo che venga rispettata. »

« Molto interessante » disse Hercule Poirot.

« Molto interessante. Così tutte le persone di casa sono venute in cucina? »

« Sissignore. I signorini, la signorina Bridget e quel signore di Londra che sta qui, e sua sorella e il signor David e la signorina Diana... cioè, la signora Middleton, dovrei dire... sissignore, e tutti gli hanno dato una mescolatina. »

« Quanti dolci avete fatto? Oppure questo è l'unico? »

« Nossignore, ne ho fatti quattro. Due più grossi e due più piccoli. L'altro grosso pensavo di servirlo a Capodanno mentre quelli piccoli erano per il colonnello e la signora Lacey quando saranno soli e non avranno qui tutta la famiglia. »

« Già, già » disse Poirot.

« Anzi, a dire la verità » continuò la signora Ross « quest'oggi a pranzo avete avuto il dolce sbagliato. »

« Il dolce sbagliato? » Poirot aggrottò le sopracciglia. « Come sarebbe? »

« Ecco, signore, abbiamo una grossa forma per Natale. È di porcellana, con un motivo di agrifoglio e di vischio sopra e ci abbiamo sempre fatto cuocere dentro il dolce per il giorno di Natale. Ma è successa una disgrazia. Stamattina, mentre Annie la tirava giù dallo scaffale della dispensa, le è scivolata e si è rotta. Naturalmente, signore, non potevo certo servirlo lì, vero? Ci poteva essere finita dentro qualche scheggia! Così abbiamo dovuto adoperare l'altro... quello per Capodanno, che era stato messo in una forma molto più semplice. Ma, chissà dove riusciremo a trovarne un'altra come quella che si è rotta! Oggigiorno non fanno più roba di quelle dimensioni. Tutte cosette piccole. Figuriamoci, non si riesce neanche più a trovare un bel piatto da prima colazione come quelli di una volta, dove si facevano stare da otto a dieci uova e la pancetta! Ah, son passati i tempi...! »

« Già, proprio così » disse Poirot. « Oggi è tutto diverso. Però questo Natale è stato proprio come quelli dei tempi andati, non è vero? »

La signora Ross sospirò. « Sono contenta di sentirvelo dire, signore, per quanto, naturalmente, io non ho più *l'aiuto* che avevo una volta. Non l'aiuto di gente pratica, voglio dire. Le ragazze oggi... » abbassò leggermente la voce « sono piene di buone intenzioni e molto volonterose ma non sono state *addestrate*, signore, se capite quello che voglio dire! »

« I tempi cambiano, certo » ammise Hercule Poirot. « Anch'io, qualche volta, lo trovo triste. »

« Questa casa, signore » disse la signora Ross « è troppo grande, vedete, per la signora e per il colonnello. La signora, lo sa benissimo! E poi, vivendo solo in un angolo di questa casa, come fanno, non è la stessa cosa! Assolutamente! Sembra che ridiventi viva, si può dire proprio così soltanto a Natale, quando viene tutta la famiglia. »

« Mi pare che sia la prima volta che il signor Lee-Wortley e sua sorella vengono qui, vero? »

« Sì, signore. » Una leggera intonazione di riserbo si insinuò nella voce della signora Ross. « Un simpaticissimo signore, questo sì, ma sembra un amico un po' strano per la signorina Sarah, secondo le nostre idee. Ma... insomma a Londra è tutto diverso. Che peccato che sua sorella non stia bene. Ha fatto un'operazione. Sembrava che stesse bene il primo giorno che è venuta qui ma poi, subito dopo aver dato quella mescolatina al dolce, ha ricominciato a stare male e da allora è sempre rimasta a letto. Secondo me, si è alzata troppo presto dopo l'operazione. Ah, i dottori oggigiorno ti cacciano fuori dall'ospedale quando, quasi quasi, non riesci ancora a stare in piedi. Si figuri che la moglie di mio nipote, anche lei... » e la signora Ross si addentrò nella lunga e animata descrizione del trattamento ospedaliero ricevuto da quei suoi parenti, confrontandolo sfavorevolmente con le premure che erano state riversate su di loro in altre, precedenti, occasioni.

Poirot la commiserò doverosamente. « Non mi resta » disse « che ringraziarvi per questo pasto squisito e sontuoso. Mi permettete un piccolo segno del mio apprezzamento? » Un biglietto da cinque sterline, nuovo di zecca passò dalla sua mano a quella della signora Ross, la quale disse, per salvare le apparenze:

« Davvero, non dovreste farlo, signore. »

« Insisto. Insisto. »

« Bene, molto gentile da parte vostra, davvero! » La signora Ross accettò l'omaggio né più né meno come se le fosse dovuto. « E io vi auguro, signore, un felice Natale e un prospero Capodanno. »

La fine del giorno di Natale fu come la fine della massima parte dei giorni di Natale. L'albero venne illuminato, comparve una stupenda torta natalizia per il tè, la quale venne accolta con approvazione, ma gustata solo moderatamente. Poi ci fu una cena fredda.

Poirot e i padroni di casa andarono a letto presto.

« Buona notte, signor Poirot » disse la signora Lacey. « Spero che vi siate divertito. »

« È stata una giornata magnifica, madame, magnifica. »

« Mi sembrate molto pensieroso » disse la signora Lacey.

« È al dolce di Natale che penso. »

« Lo avete trovato un po' pesante, forse? » si informò con delicatezza la signora Lacey.

« No, no, non parlavo dal punto di vista gastronomico. Penso al suo significato. »

« È tradizionale, naturalmente » disse la signora Lacey. « Buona notte, signor Poirot e non sognate troppi dolci di Natale e troppi pasticcini con la frutta secca! »

« Sì » mormorò tra sé Hercule Poirot mentre si spogliava. « È proprio un bel problema quel dolce di Natale. C'è qualcosa, qui, che non capisco affatto. » Scosse la testa, malcontento. « Bene... staremo a vedere. »

Dopo aver fatto certi preparativi, Poirot si mise a letto, ma non per dormire.

Fu all'incirca due ore dopo che la sua pazienza venne premiata. La porta della camera da letto si aprì delicatamente. Lui sorrise tra sé. Proprio come aveva pensato. Ripensò fuggevolmente alla tazza di caffè che Desmond Lee-Wortley gli aveva portato con tanta cortesia. Poco dopo, mentre Desmond gli voltava le spalle, aveva posato la tazza su un tavolo per pochi minuti. Poi, almeno in apparenza, aveva ripreso in mano quella stessa tazza e Desmond aveva avuto la soddisfazione, se poi era tale, di vedergli bere quel caffè fino all'ultima goccia. Però un sorrisetto aveva sollevato i baffi di Poirot mentre rifletteva che, non lui, ma qualcun altro, avrebbe dormito sodo tutta la notte. "Quel simpatico David" aveva pensato Poirot, "è preoccupato, infelice. Non gli farà male una buona nottata di sonno profondo. E adesso, vediamo un po' cosa sta per succedere?"

Rimase disteso dov'era, immobile, respirando ritmicamente, e insinuando in quel respiro, di tanto in tanto, un rumore appena appena, un po' più forte per dare l'impressione di russare lievemente.

Qualcuno venne vicino al letto e si chinò su di lui. Poi, soddisfatta, questa persona si allontanò per dirigersi verso il tavolino da toilette. Alla luce di una sottile torcia elettrica, il visitatore cominciò a esaminare tutti gli oggetti che appartenevano a Poirot ed erano disposti in bell'ordine sul piano della toilette. Dita esplorarono il portafoglio, aprirono cautamente i cassetti della toilette, ed infine estesero le ricerche anche alle tasche degli abiti di Poirot. Infine il visitatore si avvicinò al letto e, con mille cautele, insinuò una mano sotto il cuscino. Poi la ritirò e rimase per un attimo incerto sul da farsi. Girò per la camera, guardando dentro i vasi e gli altri oggetti da ornamento, poi passò nel bagno comunicante, dal quale tornò quasi subito. Infine, con una sommessa esclamazione di disgusto, uscì dalla camera.

« Ah! » mormorò Poirot, sottovoce. « Hai avuto una delusione. Sì, sì, una grossa delusione. Bah! Come fai ad immaginare che Poirot nasconda qualcosa in un posto dove potresti trovarlo? » Poi, girandosi dall'altra parte si addormentò pacificamente.

La mattina dopo venne svegliato da un sommesso, ma insistente, bussare alla sua porta.

« *Qui est là*? Avanti, avanti. »

La porta si spalancò. Ansante, rosso in faccia, sulla soglia apparve Colin. Dietro a lui c'era Michael.

« Monsieur Poirot, monsieur Poirot. »

« Ma, sì? » Poirot si mise a sedere sul letto. « È la mia tazza di tè? Ma, no. Sei tu, Colin. Cosa è successo? »

Colin, per un attimo, rimase senza parole. Sembrava in preda a una forte emozione. In realtà, si trattava semplicemente della visione della berretta da notte che Poirot aveva in testa a renderlo incapace di profferire una sola parola. Ma riacquistò subito il controllo di sé e parlò:

« Ecco, credo... signor Poirot, potrebbe aiutarci? È capitata una cosa terribile. »

« È successo qualcosa? E di che si tratta? »

« È... è Bridget. È fuori, nella neve. Io credo... non si muove e non parla e... oh, sarebbe meglio che veniste a vedere con i vostri occhi! Ho una paura terribile che... possa essere *morta*. »

« Cosa? » esclamò Poirot buttando da parte le coperte. « Madamoiselle Bridget... morta! »

« Io credo... io credo che qualcuno l'abbia ammazzata. C'è... c'è anche del sangue e... oh, venite presto! »

« Ma certo. Certo. Vengo immediatamente. »

Molto praticamente, Poirot infilò i piedi in un paio di scarpe da passeggio e si infilò il cappotto, bordato di pelliccia sul pigiama.

« Vengo » disse. « Vengo all'istante. Avete già svegliato gli altri di casa? »

« No. Finora lo abbiamo detto solo a voi. Ho pensato che fosse meglio. I nonni non sono ancora alzati. Stanno apparecchiando per la colazione in sala da pranzo ma non ho detto niente a Peverell. Lei... Bridget è dall'altra parte della casa, vicino alla terrazza e alla finestra della biblioteca. »

« Capisco. Fatemi strada. Vi seguirò. »

Voltandosi da un lato per nascondere un sorrisetto di gioia, Colin lo precedette al piano terreno. Uscirono da una porta secondaria. Era una mattina limpida e il sole non appariva ancora all'orizzonte. Non nevicava più però doveva essere caduta abbondantemente la neve durante la notte e tutt'intorno a loro, il manto nevoso appariva intatto. Il mondo sembrava purissimo e bianco e bello.

« Ecco! » disse Colin ansante. « È... *là*... » e gli indicò un punto con gesto drammatico.

La scena, effettivamente, era abbastanza drammatica. A pochi metri di distanza, Bridget era distesa fra la neve. Portava un pigiama rosso vivo e aveva uno scialle di lana bianca intorno alle spalle. Lo scialle bianco era macchiato di rosso. Aveva la testa girata da un lato e nascosta dalla massa scomposta e allargata dei capelli neri. Un braccio era sotto il corpo, l'altro allargato, con le dita contratte e al centro della grossa macchia di sangue si vedeva l'impugnatura di un grosso pugnale ricurvo, curdo, che il colonnello Lacey aveva mostrato ai suoi ospiti appena la sera prima.

« *Mon Dieu*! » esclamò Poirot. « Sembra una scena da commedia! »

Da parte di Michael arrivò un lieve rumore strozzato. Colin gli venne in aiuto.

« Lo so » disse. « Effettivamente... non sembra proprio *reale*, eh? Vedete le impronte dei piedi... Forse non bisognerà calpestarle? »

« Ah, sì, le impronte. No, dobbiamo badare a non rovinarle. »

« Era proprio come pensavo » disse Colin. « Ecco perché non ho voluto che nessuno si avvicinasse fintanto che non venivamo a chiamarvi. Pensavo che voi avreste saputo cosa fare. »

« Ad ogni modo » disse Hercule Poirot in tono spicciativo « prima di tutto dobbiamo sapere se è viva, non vi pare? »

« Be'... sì... certo... » disse Michael, un po' dubbioso « ma vedete, noi pensavamo... voglio dire, non volevamo... »

« Ah, siete prudenti, voi! Avete letto i romanzi polizieschi. La cosa più importante è che non si tocchi niente e che il cadavere rimanga come è stato trovato. Ma fino a questo momento non sappiamo ancora se è *realmente* un cadavere, no? In fondo, per quanto ammirevole sia la prudenza, l'umanità viene prima di tutto. Dobbiamo pensare al dottore, non vi pare, prima di pensare alla polizia? »

« Oh, sì. Certo » disse Colin, sempre un po' perplesso.

« Allora restate dove siete, voi due » disse

Poirot. « Io mi avvicinerò dall'altro lato in modo da non disturbare queste impronte. Sono eccellenti, no?... Talmente chiare e nette! Le impronte dei piedi di un uomo e di una ragazza che si avviano insieme al posto dove, poi, lei è distesa. E poi le impronte dell'uomo tornano indietro, ma quelle della ragazza... no. »

« Devono essere le impronte dell'assassino » disse Colin, con un filo di voce.

« Esattamente » disse Poirot. « Le impronte dell'assassino. Un piede lungo e stretto, con un tipo particolare di scarpa. Molto interessante. Facili da riconoscere. Sì, queste impronte sono molto importanti. »

In quel momento Desmond Lee-Wortley uscì di casa con Sarah e li raggiunse.

« Cosa diavolo state facendo tutti lì? » domandò in tono un po' drammatico. « Vi ho visto dalla mia camera da letto. Cosa c'è? Buon Dio, e quella cosa sarebbe... Sembra... sembra proprio... »

« Esattamente! » disse Hercule Poirot. « Sembra proprio un delitto, eh? »

Sarah sussultò, con il fiato mozzo poi lanciò un'occhiata insospettita ai due ragazzi.

« Volete dire che qualcuno ha ammazzato la ragazza... come-si-chiama... Bridget? » domandò Desmond. « Chi volete che potesse avere interesse ad ammazzarla? È incredibile! »

« Ci sono molte cose incredibili » sentenziò Poirot. « Specialmente prima di colazione, vero? Ecco, c'è uno di quei vostri detti più famosi: "Sei cose impossibili prima della colazione". » E aggiunse: « Per favore, aspettate qui, tutti. »

Facendo cautamente un lungo giro, si avvicinò a Bridget e si chinò un attimo sul suo corpo. Colin e Michael, a questo punto, tremavano per lo sforzo di controllare le risate. Sarah si unì a loro, mormorando: « Cosa avete combinato, voi due? »

« Brava, vecchia Bridget! » mormorò Colin sottovoce. « È fantastica! Neanche un fremito! »

« Non ho mai visto nessuno sembrare morto come sembra morta Bridget in questo momento » sussurrò Michael.

Hercule Poirot si rialzò.

« È una cosa terribile » disse. Nella sua voce si era insinuata una commozione che prima non si sentiva.

Travolti dalle risate convulse e soffocate, Colin e Michael gli voltarono le spalle. Con voce strozzata, Michael riuscì a dire: « Cosa... cosa dobbiamo fare? ».

« C'è una sola cosa da fare » disse Poirot. « Mandare a chiamare la polizia. C'è qualcuno di voi che vuole andare a telefonare o preferite che lo faccia io? »

« Secondo me... » disse Colin « tu, Michael cosa ne pensi, eh? »

« Sì » disse Michael. « Penso che lo spasso sia finito. » Fece un passo avanti. Per la prima volta sembrò meno sicuro di sé. « Sono terribilmente spiacente » disse. « Spero che non se la prenderà troppo. Era... ehm... una specie di scherzo per Natale e via dicendo, sapete. Noi pensavamo che... be', vi avremmo organizzato qui un bel delitto. »

« Avete pensato di organizzarmi un delitto? Ma allora questo... questo è... »

« È stata solo una scena che abbiamo preparato » spiegò Colin « per farvi sentire come a casa vostra, capite? »

« Aha! » emise Hercule Poirot. « Capisco. Mi avete fatto un pesce d'aprile, eh? Ma oggi non è il primo di aprile: è il ventisei di dicembre! »

« Suppongo che non avremmo dovuto farlo, sul serio! » disse Colin. « Ma... ma non ve la siete presa molto, vero, signor Poirot? Su, Bridget » gridò « alzati. Ormai devi essere già mezza congelata. »

La figura nella neve, però, non si mosse.

« Strano » disse Poirot « sembra che non vi abbia sentito. » Li guardò impensierito. « È uno scherzo, dite? Siete proprio sicuri? »

« Ma, sì » ribatté Colin imbarazzato. « Noi... non volevamo fare niente di male. »

« Ma allora perché mademoiselle non si rialza? »

« Non riesco a immaginarlo » disse Colin.

« Su, Bridget, andiamo! » esclamò Sarah spazientita. « Non star lì distesa a fare la stupida. »

« Siamo realmente spiacentissimi, signor Poirot » disse Colin con apprensione nella voce. « Ci scusiamo moltissimo. »

« Non c'è bisogno » disse Poirot, in un tono molto strano.

« Cosa volete dire? » Colin lo fissò. Poi tornò a voltarsi. « Bridget! Bridget! Ma si può sapere cosa c'è? Perché non si rialza? Perché continua a star lì distesa? »

Poirot chiamò con un cenno Desmond Lee

Wortley. «*Voi*, signor Lee-Wortley. Venite qui...»
Desmond lo raggiunse.
« Provate a sentirle il polso » disse Poirot.
Desmond Lee-Wortley si chinò. Sfiorò il braccio della ragazza... il polso...
« Ma non si sente niente » e fissò Poirot. « Ha il braccio rigido. Buon Dio, è *morta* sul serio! »
Poirot annuì. « Sì, è morta » disse. « Qualcuno ha trasformato la commedia in tragedia. »
« Qualcuno... chi? »
« C'è una serie di impronte che vanno al cadavere e poi ne ritornano. Una serie di impronte che somigliano stranamente a quelle che *voi*, signor Lee-Wortley, avete fatto adesso venendo dal sentiero fin qui. »
Desmond Lee-Wortley si voltò di scatto.
« Che accidenti... Mi state accusando? Accusate *me*? Siete impazzito! Perché diavolo avrei dovuto uccidere la ragazza? »
« Ah... perché? Mi domando... vediamo un po... »
Si chinò e sollevò delicatamente la mano contratta della ragazza allargandole le dita già irrigidite.
Desmond restò con il fiato sospeso. Fissò incredulo. Sul palmo della ragazza morta c'era quello che sembrava un grosso rubino.
« È quella maledetta pietra che hanno trovato nel dolce! » gridò.
« Già » disse Poirot. « Ma siete sicuro che sia proprio quella? »
« Certo che lo è. »
Con un rapido movimento Desmond si chinò e strappò la pietra rossa dalla mano di Bridget.

« Non avreste dovuto farlo » disse Poirot in tono di rimprovero. « Niente avrebbe dovuto essere toccato. »

« Non ho toccato il corpo, no? Ma questo... questo potrebbe andare perduto e invece è un elemento di prova. La cosa migliore è chiamare la polizia al più presto. Vado immediatamente a telefonare. »

Si girò di scatto e cominciò a correre rapidamente verso la casa. Sarah si precipitò al fianco di Poirot.

« Non capisco » disse sottovoce. Era diventata pallidissima. « Non *capisco.* » Afferrò Poirot per un braccio. « Cosa volevate dire... quando avete accennato alle impronte. »

« Guardate con i vostri occhi, mademoiselle. »

Le impronte che conducevano al corpo e ne ritornavano erano identiche a quelle appena fatte accompagnando Poirot vicino alla ragazza e tornandone indietro.

« Volete dire... che è stato Desmond? Assurdo! »

Improvvisamente l'aria fu lacerata dal rombo di un'automobile. Tutti si voltarono di scatto. E videro chiaramente la macchina che scendeva il viale, e Sarah la riconobbe.

« È quella di Desmond » disse. « È la macchina di Desmond. Deve... deve essere andato a chiamare la polizia invece di telefonare. »

Diana Middleton uscì di corsa di casa e venne a raggiungerli.

« Cosa è successo? » gridò ansante. « Desmond è entrato in casa correndo come un pazzo. Ha borbottato che Bridget era stata uccisa e poi ha provato a parlare al telefono. Ci ha trafficato intorno un po', ma non riusciva a prendere la comunicazione. Era muto. Ha detto che dovevano essere stati tagliati i fili. Così l'unica cosa che restava da fare, ha aggiunto, era quella di prendere la macchina e andare alla polizia. Ma perché, la polizia? »

Poirot fece un gesto.

« Bridget? » Diana lo fissò con gli occhi sbarrati. « Ma certo... non sarà uno scherzo? Ho sentito qualcosa... sì, qualcosa, ieri sera. Credevo che volessero combinarvi uno scherzo, signor Poirot. »

« Sì » ammise Poirot, « l'idea era quella... farmi uno scherzetto. Ma venite in casa, tutti. Finiremo per prenderci una polmonite, qui fuori, e non c'è niente da fare finché il signor Lee-Wortley non torna con la polizia. »

« Ma sentite un po' » disse Colin « non possiamo... non possiamo lasciare Bridget qui sola. »

« Restando non potete certo fare niente di utile per lei » disse Poirot con fermezza. « Su, venite! È triste, è una vera tragedia, ma non possiamo proprio più fare niente per aiutare mademoiselle Bridget. Rientriamo a riscaldarci e, magari, a bere una tazza di tè o di caffè. »

Lo seguirono tutti, ubbidienti, in casa. Peverell stava per suonare in quell'istante il gong. Se trovò abbastanza singolare che buona parte degli ospiti fosse già fuori di casa e che Poirot si presentasse in pigiama e cappotto, non lo diede a vedere neppure da un minimo gesto. Peverell, per quanto anziano fosse, era sempre un maggiordomo perfetto. Non notava niente che non gli fosse stato richiesto espressamente di notare. Entrarono in sala da pranzo e si sedettero. Quando tutti ebbero una tazza di caffè davanti, Poirot parlò.

« Bisogna che vi racconti » disse « una piccola storia. Non posso darvene tutti i particolari, no. Ma, nelle linee principali, sì, posso raccontarvela. Riguarda un giovane principe che è venuto in questo paese. Ha portato con sé un famoso gioiello a cui doveva far cambiare la montatura per la donna che sta per sposare, ma disgraziatamente egli fece la conoscenza di una giovane donna molto carina. Questa ragazza non provava particolare interesse per l'uomo, bensì per il suo gioiello... a tal punto che un bel giorno sparì con quel prezioso oggetto di valore storico che era appartenuto per generazioni alla famiglia del giovanotto. Così il poveretto si trovò in un bell'imbroglio, capite? Specie se considerate il fatto che non poteva permettere che scoppiasse uno scandalo. Impossibile andare alla polizia. Di conseguenza, venne da me, Hercule Poirot, e mi chiese: "Ritrovatemi il mio rubino di valore storico". *Eh bien*! questa giovane donna ha un amico. E l'amico ha già alle sue spalle una serie di affari poco puliti. Ricatti, vendita di preziosi all'estero. Ma è sempre stato molto furbo. Si hanno sospetti su di lui, questo è vero, ma niente è stato provato. Vengo a sapere che il signore in questione passerà il Natale in questa casa. È importante che la graziosa ragazza, una volta entrata in possesso del gioiello, sparisca dalla circolazione per un po', in modo che non le si possano fare pressioni, che non le vengano fatte domande. Così si combina che venga giù a Kings Lacey, sotto le apparenze della sorella del furbo giovanotto... »

Sarah trasalì.

« Oh, no. Oh, no, non *qui*! Non con me, qui! »

« Ma invece è proprio stato così! » disse Poirot. « E tirando un po' di fili, eccomi diventare anch'io ospite di questa casa per Natale. La giovane donna, secondo ciò che ha raccontato, è appena uscita dall'ospedale. Sta molto meglio quando arriva qui. Ma poi giunge la notizia che anch'io arriverò... un investigatore famoso. E lei intuisce subito quel che c'è sotto. Così nasconde il rubino nel primo posto che le viene in mente, e poi ha un'improvvisa ricaduta e si mette di nuovo a letto. Non vuole che io la veda, perché di sicuro ho una sua fotografia e potrei riconoscerla. Molto seccante per lei, questo sì, ma deve restare in camera sua e il sedicente fratello le porta di sopra i vassoi con i pasti. »

« E il rubino? » domandò Michael.

« Credo » disse Poirot « che al momento in cui si menzionò il mio arrivo, la giovane donna si trovasse in cucina, con tutti voialtri, a ridere, chiacchierare e dare la famosa mescolatina ai dolci di Natale. I dolci sono nelle loro forme e la giovane donna nasconde il rubino, conficcandolo nella pasta che si trova in una di quelle forme. Non quella per il giorno di Natale. Oh, no, sa benissimo che quella è stata posta in una forma speciale. Lo caccia dentro nell'altra, quella del dolce destinato a Capodanno. Prima di quel giorno, lei sarà pronta a partire di lì e, partendo anche quel dolce di Natale partirà con lei.

Ma guardate un po' gli scherzi del destino. Proprio la mattina di Natale capita un guaio. Il dolce di Natale, nella sua bella forma decorata viene lasciato cadere sul pavimento di pietra della cucina e la forma va in mille pezzi. Così, che si fa? La brava signora Ross prende il dolce conservato nell'altra forma e lo manda in tavola. »

« Buon Dio! » disse Colin. « Volete dire che, il giorno di Natale, mentre il nonno mangiava il dolce, è stato proprio quel *rubino* che si è trovato in bocca? »

« Precisamente » disse Poirot « e potete immaginare l'emozione del signor Desmond Lee-Wortley quando lo vide. *Eh bien*! cosa succede poi? Il rubino viene passato in giro. Io lo esamino e riesco a farmelo scivolare in tasca senza che nessuno se ne accorga. Così, con trascuratezza come se non mi interessasse. Ma una persona almeno osserva i miei gesti. Quando vado a letto, quella persona viene a frugare nella mia camera. Fruga anche addosso a me. Ma non riesce a trovare il rubino. Perché? »

« Perché » disse Michael con il fiato mozzo, « voi lo avevate dato a Bridget. Ecco cosa volete dire. E così ecco perché... ma non capisco bene... voglio dire... Sentite un po', cosa è successo? »

Poirot gli sorrise.

« Venite in biblioteca » disse « e guardate fuori dalla finestra e vi mostrerò qualcosa che spiegherà il mistero. »

Li precedette.

« Osservate ancora » disse Poirot « la scena del delitto. »

E indicò fuori dalla finestra. Dalle labbra di tutti i presenti uscì un'esclamazione soffocata e incredula. Perché non c'era nessun corpo disteso nella neve, nessuna traccia della tragedia all'infuori di un po' di neve smossa e calpestata.

« Non è stato un sogno, vero? » mormorò Colin debolmente. « Io... qualcuno ha portato via il corpo? »

« Ah? » disse Poirot. « Vedete? Il Mistero del Cadavere Scomparso. » Annuì dolcemente, e i suoi occhi ebbero un luccichio.

« Dio santo! » gridò Michael. « Signor Poirot, voi siete... Non avete... Oh, figuratevi, non ha fatto che prenderci in giro per tutto questo tempo! »

Gli occhi di Poirot luccicarono maliziosi ancora di più.

« È vero, figlioli miei, anch'io ho voluto fare il mio piccolo scherzo. Sapevo del vostro piano, vedete, e così ne ho combinato anch'io uno mio personale! Ah, *voilà* mademoiselle Bridget. Sana e salva e senza conseguenze, spero, per essere rimasta nella neve tanto tempo? Non me lo perdonerei mai, se vi foste presa *une fluxion de poitrine*. »

Bridget era entrata in quel momento nella stanza. Portava una gonna pesante e un maglione di lana. Stava ridendo.

« Ho mandato una *tisane* in camera vostra » disse Poirot severamente. « L'avete bevuta? »

« Un sorso soltanto! » disse Bridget. « Ma sto *benissimo*. Sono stata brava, signor Poirot? Buon Dio, come mi fa male ancora il braccio per quel laccio emostatico che mi avete messo. »

« Siete stata magnifica, figliola mia » disse Poirot. « Magnifica. Ma vedete, gli altri brancolano ancora nel buio. Ieri sera, sono andato da mademoiselle Bridget. Le ho detto che sapevo tutto del vostro piccolo *complot* e ho chiesto se voleva recitare una piccola parte per me. Lei l'ha recitata e con molta intelligenza. Ha fatto le impronte con un paio di scarpe del signor Lee-Wortley. »

Sarah disse aspra:

« Ma perché tutto questo, signor Poirot? Che motivo c'era di mandare Desmond a chiamare la polizia! Saranno furibondi quando scopriranno che è tutto uno scherzo! »

Poirot scosse la testa, gentilmente.

« Ma io non ho pensato neppure per un momento, mademoiselle, che il signor Lee-Wortley andasse a chiamare la polizia » disse. « Il delitto è una cosa in cui il signor Lee-Wortley non vuole essere immischiato. Ha perduto completamente la testa. Tutto quello che ha pensato è stata l'opportunità di non lasciarsi sfuggire il rubino. Lo ha acchiappato, ha fatto finta che il telefono fosse guasto ed è scappato in macchina fingendo di andare ad avvertire la polizia. Secondo me, non lo vedrete più per molto tempo. Mi pare di capire che conosce vari modi per lasciare l'Inghilterra. Ha un piccolo aereo personale, non è così, mademoiselle? »

Sarah annuì. « Sì » disse. « Stavamo pensando di... » Ma si interruppe.

« Volevate scappare insieme con quell'aereo, vero? *Eh bien*, è un ottimo mezzo per portar fuori di contrabbando un gioiello dal paese.

Quando si è in fuga con una ragazza, e il fatto ha suscitato scalpore, nessuno viene a sospettarvi di far uscire di contrabbando un prezioso gioiello di valore storico. Oh, sì, sarebbe stata un'ottima mimetizzazione. »

« Non ci credo! » disse ancora Sarah. « Non credo neppure a una parola di tutto questo. »

« Allora domandatelo a sua sorella » la consigliò Poirot, gentilmente, accennando a qualcuno che doveva trovarsi dietro di lei. Sarah si voltò di scatto.

Una bionda platino era apparsa sulla soglia. Portava la pelliccia e aveva l'aria imbronciata. Era chiaro che il suo umore non era dei migliori.

« Sorella un cavolo! » disse, con una breve risatina, sgradevole. « Quel porco non è mio fratello! Così se l'è battuta, eh? e mi ha lasciato qui nei pasticci? Tutta questa storia è stata una *sua* idea! È stato lui a convincermi! Ha detto che erano soldi sicuri. Non si sarebbe mai arrivati all'imputazione per via dello scandalo. Avrei sempre potuto minacciarli di dire che Ali *me lo aveva regalato*, quello storico gioiello! Des e io avremmo dovuto dividerci il malloppo a Parigi... e adesso quel porco mi pianta qui e se ne va... Oh, come vorrei strozzarlo! » Poi cambiò tono bruscamente: « Più presto me ne vado di qui... Nessuno può chiamarmi un tassì per telefono? ».

« C'è un'automobile alla porta che aspetta mademoiselle per portarla alla stazione » disse Poirot.

« Pensate proprio a tutto, voi, eh? »

« A quasi tutto » disse Poirot compiaciuto.

Ma Poirot non poteva cavarsela così facilmente. Quando tornò in sala da pranzo dopo aver aiutato la falsa signorina Lee-Wortley a salire in macchina, c'era Colin ad aspettarlo.

Sulla sua faccia da ragazzino c'era un'espressione aggrottata.

« Ma sentite un po', signor Poirot. *E il rubino*? Volete dire che lo avete lasciato andare via, portandolo con sé? »

Poirot si incupì. Si cominciò ad attorcigliare i baffi. Sembrò a disagio.

« Lo ricupererò » disse debolmente. « Ci sono altri mezzi. Potrò ancora... »

« Non so cosa pensare! » esclamò Michael. « Lasciare che quel farabutto se ne vada con il rubino! »

Bridget fu più intuitiva.

« Ci sta prendendo in giro un'altra volta » gridò. « Non è così, signor Poirot? »

« Vogliamo fare un ultimo giochetto da prestigiatore, mademoiselle? Provate un po' a frugare nella mia tasca sinistra. »

Bridget ci infilò la mano. La tirò fuori di nuovo con un'esclamazione trionfante e sollevò un grosso rubino che scintillò in tutto il suo purpureo fulgore.

« Dovete capire che quello che stringevate in mano » disse Poirot « era una copia senza valore. L'ho portato con me da Londra nel caso fosse stato possibile sostituirlo con quello vero. Capite? Non vogliamo lo scandalo. Monsieur Desmond tenterà di liberarsi di quel rubino a Parigi o nel Belgio o nei posti dove ha i suoi contatti, e così scoprirà che la gemma è falsa!

Tutto finisce felicemente. Non poteva andare meglio! Lo scandalo viene evitato, il mio erede al trono si vede restituire il rubino, torna nel suo paese e fa un buon matrimonio serio e speriamo felice. Tutto finisce bene. »

« Tranne che per me » mormorò Sarah sottovoce.

Aveva parlato così piano che nessuno l'aveva udita ad eccezione di Poirot. Questo scosse la testa dolcemente.

« Siete in errore, mademoiselle Sarah, in ciò che dite. Voi avete fatto un'esperienza. Ogni esperienza è preziosa. Io, nel vostro futuro, vedo la felicità. »

« Già, facile dirlo per voi! » rispose Sarah.

« Ma sentite un po', signor Poirot » disse Colin, ancora aggrottato. « Come facevate a sapere che vi avremmo preparato quello spettacolino, proprio tutto per voi? »

« Sapere ciò che avviene intorno a me fa parte del mio lavoro » disse Hercule Poirot. E si arricciò un baffo.

« Sì, ma non capisco come abbiate fatto. C'è stato qualcuno che ha parlato... qualcuno che è venuto a dirvelo? »

« No, questo no. »

« E allora? Non volete dirci come avete fatto? »

Tutti in coro ripeterono: « Sì, ditecelo adesso! ».

« Ma, no » protestò Poirot. « Ma, no. Se vi dico come ho fatto a dedurlo, non ci crederete. È come il prestigiatore che rivela i suoi trucchi! »

« Ditelo, signor Poirot! Su, ditelo! »

« Volete davvero che risolva per voi quest'ultimo mistero? »

« Sì, ditelo! »

« Ah, non credo di doverlo fare. Resterete delusi. »

« Su andiamo, signor Poirot. *Come lo avete saputo*? »

« Bene, state a sentire: ero in biblioteca vicino alla finestra, in poltrona, dopo il tè, l'altro giorno e mi stavo riposando. Avevo dormicchiato e quando mi sono svegliato voi stavate discutendo il vostro progetto proprio sotto la finestra vicino a me, e la finestra era aperta, nella parte alta della vetrata. »

« Tutto qui? » gridò Colin deluso. « Com'è stato semplice! »

« Vero? » ammise Hercule Poirot sorridendo. « Avete visto che siete rimasti male? »

« Meglio così » finì col dire Michael. « Così adesso sappiamo proprio tutto. »

« Davvero? » mormorò Hercule Poirot tra sé. « *Io*, no. *Io*, che dovrei essere quello che sa ogni cosa! »

Uscì nell'atrio, scuotendo lievemente la testa. Poi, forse per la ventesima volta, si tolse di tasca un foglietto di carta piuttosto sciupacchiato e sudicio.

NON MANGIATE IL DOLCE. UNA PERSONA CHE VI VUOL BENE.

Hercule Poirot scosse la testa pensieroso. Lui, che sapeva spiegare tutto, questo non riusciva proprio a spiegarlo! Umiliante. Chi l'aveva scritto? *Perché* era stato scritto? Finché non lo avesse saputo, non avrebbe avuto un attimo di pace. D'un tratto si riscosse dalle sue meditazioni richiamato alla realtà da uno strano suono. Abbassò gli occhi. Sul pavimento, accovacciata sul porta immondizie e su uno scopino, c'era la ragazza con i capelli color paglia, e un grembiule a fiori. Stava fissando il foglietto che Poirot stringeva in mano con gli occhi sbarrati.

« Oh, signore » disse l'apparizione. « Oh, *signore! Per piacere,* signore. »

« E tu chi saresti, *mon enfant*? » domandò il signor Poirot gentilmente.

« Annie Bates, signore, mi scusi. Vengo ad aiutare la signora Ross. Non volevo, signore, non volevo... fare niente che fosse proibito. Le mie intenzioni erano buone, signore. Per il vostro bene, voglio dire. »

Fu tutto chiaro, finalmente, per Poirot. Le mostrò il sudicio foglietto.

« Lo hai scritto tu, Annie? »

« Non volevo fare niente di male, signore. Credetemi, non volevo. »

« Ma certo che non volevi far niente di male, Annie. » Le sorrise. « Ma raccontami tutto. Perché hai scritto questo? »

« Sono stati quei due, signore. Il signor Lee-Wortley e sua sorella. Non che fosse sua sorella quella, ne sono sicura! Nessuno di noi l'ha pensato neanche per un momento! E lei non era affatto malata. Lo avevamo capito! Pensavamo... tutti noi pensavamo... che ci fosse qualcosa che non andava. Ve lo dico subito, signore. Ero nel bagno di quella lì a portare gli asciugamani puliti, e ho ascoltato alla porta. *Lui* era nella sua camera, e parlavano. Ho sentito che lo dicevano chiaro. "Questo detective" diceva lui. "Questo Poirot che è venuto qui. Bisogna far qualcosa. Dobbiamo eliminarlo al più presto possibile." E poi ha detto ancora ma con una voce cattiva: "Dove l'hai messo?" e parlava piano piano. E lei ha risposto: "*Nel dolce.*" Oh, signore, mi sono sentita il cuore in gola, e poi ho creduto che non mi battesse più. Ho pensato che volessero mettere il veleno per voi nel dolce di Natale. Non sapevo cosa fare! La signora Ross, quella lì non dà ascolto alle ragazze come me! Allora mi è venuta l'idea di scrivere per avvertirvi. E così ho scritto e poi ho messo il biglietto sul cuscino così lo avreste trovato andando a letto. » Annie si fermò, senza fiato.

Poirot la osservò con aria grave per qualche istante.

« Tu vai troppo al cinema, Annie » disse infine « oppure è la televisione che ti influenza tanto? Ma ciò che è più importante è che hai buon cuore e non manchi di una certa ingegnosità. Quando tornerò a Londra, ti manderò un regalino. »

« Oh, grazie, grazie mille, signore. »

« Cosa ti piacerebbe, Annie? »

« Una cosa che mi piacerebbe, signore? Potrei avere una cosa che mi piace, signore? »

« Basta che sia ragionevole » disse Hercule Poirot prudentemente « sì. »

« Oh, signore, potrei avere una valigetta per il trucco? Una di quelle proprio eleganti, come l'aveva la sorella del signor Lee-Wortley, ma non era sua sorella, eh? »

« Sì » disse Poirot « sì, credo che sarà possibile ». Poi come se parlasse tra sé, continuò: « Interessante. L'altro giorno, in un museo, stavo osservando certi pezzi antichi trovati a Babilonia o in qualche altro posto simile, roba che aveva mille e mille anni... e cosa c'era fra le altre cose? Anche una scatola per i cosmetici. Il cuore femminile non cambia ».

« Vi chiedo scusa, signore? »

« Niente » disse Poirot. « Stavo riflettendo. Avrai la tua valigetta, figliola. »

« Oh, grazie, signore. Oh, grazie, mille grazie, signore. »

Annie si allontanò, in preda a una felicità estatica. Poirot la seguì con gli occhi, annuendo tra sé, soddisfatto.

« Ah! » si disse. « E adesso... me ne andrò. Qui non c'è più niente da fare. »

Inaspettatamente un paio di braccia gli circondò le spalle.

« Se *voleste* mettervi sotto il vischio... » disse Bridget.

Hercule Poirot si divertì. Si divertì moltissimo. E si disse che aveva trascorso un ottimo Natale.

La bambola della sarta

La bambola giaceva abbandonata nella grande poltrona rivestita di velluto. Non c'era molta luce nella stanza; i cieli di Londra erano cupi. Nella delicata penombra, sembrava che il color verde-salvia delle fodere, delle tende e dei tappeti avesse assunto un'unica tonalità sfumata. La bambola, fra tutte quelle sfumature simili, si confondeva con il resto. Se ne stava lunga distesa, accasciata, scompostamente abbandonata sui cuscini, nell'abito di velluto verde, il berretto di velluto verde e la faccina simile a una maschera dipinta. Non era una bambola di quelle che intendono i bambini. Era un fantoccio, un gingillo per ricche signore, la bambola che viene disposta, un po' ciondoloni, vicino al telefono oppure fra i cuscini del divano. Era lì, come buttata per caso, eternamente afflosciata eppure stranamente viva. Sembrava un prodotto decadente del ventesimo secolo.

Sybil Fox, entrando frettolosa con un mazzetto di campioni di stoffe e lo schizzo del modello di abito, guardò la bambola con una lieve sensazione di sorpresa e di stupore. Rimase dubbiosa ma, di qualsiasi cosa si trattasse, il pensiero non le affiorò subito alla mente. Mormorò: « Dunque, si può sapere dove è andato a finire il campione del velluto blu? Dove l'ho messo? Eppure sono sicura che l'avevo qui proprio adesso! » Uscì sul pianerottolo e gridò, rivolta a chi stava nel laboratorio, di sopra.

« Elspeth. Elspeth, ce lo avete voi di sopra il campione del velluto blu? La signora Fellows-Brown sarà qui da un momento all'altro. »

Rientrò, accendendo tutte le luci. Di nuovo, lanciò un'occhiata alla bambola. « Oh, dunque... dove diavolo... ah, eccolo. » Raccolse il campione di tessuto dal pavimento, dove l'aveva lasciato cadere. Si udì, fuori, sul pianerottolo, il solito scricchiolio dell'ascensore che saliva e si fermava; e dopo un paio di minuti, la signora Fellows-Brown, accompagnata dal suo pechinese, entrò sbuffando nella stanza come un rumoroso trenino di ferrovia secondaria che arriva in una stazioncina senza importanza.

« Sta per venir giù un acquazzone » disse. « E che *acquazzone*! »

Si tolse rapidamente guanti e pelliccia. Entrò Alicia Coombe. Ormai non si faceva vedere sempre, ma soltanto quando arrivava qualche cliente speciale, e la signora Fellows-Brown era di queste.

Elspeth la prima lavorante del laboratorio, scese con il vestito e Sybil lo fece scivolare sulla testa della signora Fellows-Brown.

« Ecco! » esclamò. « Vi sta proprio bene. Un colore stupendo, vero? »

Alicia Coombe si appoggiò lievemente allo schienale della poltrona, osservandolo attentamente.

« Sì » ammise. « Trovo che sta bene. Sì, è senz'altro un abito riuscito. »

La signora Fellows-Brown si mise di fianco e si guardò nello specchio.

« Devo ammettere » disse « che i vostri vestiti fanno proprio *qualcosa* per il mio sedere! »

« Siete molto più magra di tre mesi fa » le assicurò Sybil.

« A dire la verità, no » ribatté la signora Fellows-Brown « anche se devo ammettere che, con questo vestito addosso, è proprio l'impressione che do. C'è qualcosa nel modo con cui tagliate i vestiti, che riesce proprio a diminuire le proporzioni del mio didietro. Sembra quasi che io non ce l'abbia... voglio dire che sembra che sia più o meno delle stesse proporzioni di quello della maggior parte della gente. » Sospirò e si sfiorò cautamente la porzione della sua anatomia che le dava tanti fastidi. « È sempre stato il mio punto debole » disse. « Naturalmente, per anni, riuscivo a farlo sembrare meno vistoso, mettendo in evidenza il petto. Ma adesso non posso più farlo, perché oltre al sedere mi è venuta anche la pancia. E insomma... ecco, come si fa a tirar in dentro l'uno e l'altro? »

Alicia Coombe disse: « Dovreste vedere certe mie clienti! »

La signora Fellows-Brown fece qualche esperimento, muovendosi avanti e indietro.

« La pancia è peggio del sedere » disse. « Si nota di più. O forse è quello che uno crede perché quando parli con le persone le hai di fronte e, in quel momento, non possono vederti dietro, mentre invece sono in grado di notare che hai la pancia. Ad ogni modo, la mia regola è quella di tirar indietro la pancia e di lasciar che il sedere si arrangi! » Allungò il collo ancora un po' di più, guardandosi dietro le spalle e poi disse all'improvviso: « Oh, quella bambola che avete lì. Mi fa venire la pelle d'oca! È tanto tempo che l'avete? »

Sybil lanciò un'occhiata incerta a Alicia Coombe la quale sembrò perplessa, ma vagamente angustiata.

« Non lo so con precisione... da un po' di tempo, direi... non riesco *mai* a ricordare le cose. È tremendo... ma, insomma, io non riesco proprio a ricordare più niente. Sybil, da quanto tempo l'abbiamo? »

Sybil rispose asciutta: « Non lo so ».

« Be' » disse la signora Fellows-Brown « mi fa venire la pelle d'oca. Fantastico! Vedete, dà la impressione di essere lì a guardarci, e chissà che non ci prenda in giro e rida di noi di nascosto! Se fossi in voi, me ne libererei! » Rabbrividì leggermente. Poi si lanciò di nuovo nei dettagli tecnici. Bisognava accorciare le maniche di un paio di centimetri, oppure era meglio di no? E la lunghezza? Quando tutti questi particolari importanti vennero definiti soddisfacentemente, la signora Fellows-Brown si rivestì dei propri abiti e si preparò ad andarsene. Mentre passava davanti alla bambola, voltò di nuovo la testa.

« No » disse. « Questa bambola non mi piace. Dà troppo l'impressione di essere al suo posto, qui. È morboso. »

« Cosa avrà voluto dire? » domandò Sybil mentre la signora Fellows-Brown scompariva giù dalle scale.

Prima che Alicia Coombe potesse rispondere, la signora Fellows-Brown ritornò, mettendo dentro la testa nella stanza.

« Buon Dio, mi ero completamente dimenticata di Fou-Ling. Dove sei, tesorino? Ma guarda un po'! Sembra incredibile! »

Stava guardando qualcosa con gli occhi sbarrati, e le altre due la imitarono. Il pechinese si era seduto vicino alla poltrona di velluto verde e fissava attentamente la bambola che vi era mollemente adagiata. Sul suo muso, dagli occhietti protuberanti, non c'era nessuna espressione né di piacere né di risentimento. Si limitava semplicemente a fissarla.

« Su, vieni, tesorino della mamma » disse la signora Fellows-Brown.

Ma il tesorino della mamma non le prestò la minima attenzione.

« Diventa più disubbidiente » disse la signora Fellows-Brown con l'aria di chi sta esaltando una virtù. « Su, *andiamo*, Fou-Ling. Buono, buono! Vieni, che c'è un bel pezzetto di fegato che ti aspetta. »

Fou-Ling girò la testa di pochi centimetri verso la sua padrona, poi riprese sdegnato l'osservazione della bambola.

« Bisogna proprio dire che gli ha fatto una grande impressione » disse la signora Fellows-Brown. « Non credo che l'abbia mai notata prima di oggi. *E neanch'io*. C'era già, l'ultima volta che sono venuta? »

Le altre due donne si guardarono. Sybil, a questo punto, aveva le sopracciglia corrugate e Alicia Coombe, aggrottando la fronte, disse: « Come vi ripeto... in questo periodo, non riesco a ricordarmi mai di niente. Da quanto tempo l'abbiamo, Sybil, si può sapere? »

« Da dove è venuta? » domandò la signora Fellows-Brown. « L'avete comprata? »

« Oh, no. » Per qualche motivo particolare, Alicia Coombe sembrava scandalizzata da quell'idea. « Oh, no. Suppongo... suppongo che me l'abbia data qualcuno. » Scosse la testa. « È esasperante! » esclamò. « Assolutamente esasperante, quando una cosa ti esce dalla testa appena è successa! »

« Allora, Fou-Ling! Non fare lo stupido » disse la signora Fellows-Brown con voce aspra. « Vieni. Altrimenti dovrò prenderti in braccio. »

Si chinò a raccoglierlo. Fou-Ling proruppe in un breve latrato di lacerante protesta. E se ne andarono dalla stanza mentre Fou-Ling, con gli occhietti protuberanti girati sulla spalla coperta di pelo setoso, continuava a fissare con enorme attenzione la bambola sulla poltrona...

« Quella bambola lì » disse la signora Groves « mi fa rabbrividire. Proprio così, mette addosso i brividi! »

La signora Groves si occupava delle pulizie. Aveva appena terminato di procedere all'indietro, un po' di sghembo come i gamberi, attraverso il pavimento. Adesso si era raddrizzata e stava girando lentamente per la stanza con il piumino della polvere in mano.

« Buffo, eh? » disse la signora Groves. « Non me ne sono mai accorta fino a ieri. E poi è stato come un colpo, tutto d'un tratto. Sì, proprio. Come un gran colpo, all'improvviso. »

« Non vi piace? » domandò Sybil.

« Ve l'ho già detto, signora Fox » rispose la donna delle pulizie. « Mi fa venire i brividi. Mica tanto naturale, se mi capite. Con quelle gambine molli, penzoloni, e il modo in cui se ne sta lì, tutta floscia, nella poltrona e quella arietta da furbona! No, c'è qualcosa che non va! »

« Però non avete mai detto niente di questa bambola fino a oggi! » disse Sybil.

« Ve lo ripeto, non l'avevo mai notata... fino a stamattina... Lo so anch'io che è già da un po' di tempo che l'avete qui, però... » si interruppe mentre un'espressione di stupore le passava sulla faccia. « È come una di quelle cose che si sognano di notte » disse e, raccogliendo tutta una serie di utili strumenti per le pulizie, uscì dal salottino di prova e attraversò il pianerottolo, dirigendosi verso il locale che si trovava sul lato opposto.

Sybil fissò con attenzione la bambola, mollemente abbandonata sulla poltrona. Sulla sua faccia si stava dipingendo un'espressione sbalordita. Alicia Coombe entrò e Sybil si voltò rapidamente:

« Signorina Coombe, da quanto tempo *possedete* quest'esserino? »

« Cosa, la bambola? Mia cara, sapete bene che non riesco più a ricordare niente! Ieri... insomma, è stato troppo sciocco da parte mia! Stavo andando a quella conferenza e avevo già percorso un bel tratto di strada quando, di colpo, non sono più riuscita a ricordarmi dove stavo andando. Ho pensato e ripensato. Mi sono lambiccata il cervello. E, alla fine, mi sono detta che *doveva* essere Fortnum. Sapevo che c'era qualcosa che volevo comprare da Fortnum. Be', non ci crederete ma è stato soltanto quando sono rientrata a casa, mentre prendevo il tè, che mi sono ricordata della conferenza. Naturalmente ho sempre sentito dire che, con il passare degli anni, certe persone rimbecilliscono, però devo ammettere che, per me, sta capitando un po' troppo in fretta. Adesso ho dimenticato il posto dove ho messo la borsetta... e anche gli occhiali. Insomma, si può sapere dove li ho messi? Li avevo proprio adesso... stavo leggendo il *Times*. »

« Gli occhiali sono qui, sulla mensola del caminetto » disse Sybil, porgendoglieli. « Come vi siete procurata questa bambola? Chi ve l'ha regalata? »

« Anche in questo caso, c'è il vuoto nel mio cervello » disse Alicia Coombe. « Qualcuno me la deve aver regalata, o mandata, suppongo... Ad ogni modo, mi sembra che sia molto in armonia con tutto il resto della stanza, non è vero? »

« Fin troppo, direi » ribatté Sybil. « Lo strano è che *non ricordo* assolutamente quando è stata la prima volta che mi sono accorta della sua esistenza! »

« Su, su, cercate di non diventare smemorata come me » la ammonì Alicia Coombe. « Dopo tutto, siete ancora giovane. »

« Eppure, credetemi, signorina Coombe, non me ne ricordo affatto. Voglio dire che, ieri, l'ho guardata e mi è sembrato che ci fosse qualcosa di inquietante in lei..., la signora Groves ha proprio ragione. Poi ho pensato che non era la prima volta che lo pensavo e ho cercato di ricordarmi quando mi era venuto un pensiero simile e... insomma, non sono affatto riuscita a farmelo venire in mente! Quasi quasi, era come se non la avessi mai vista prima... solo che non era questa la sensazione che provavo. Era come se fosse già qui da tanto tempo mentre io l'avevo osservata solo allora per la prima volta! »

« Forse un bel giorno è volata dentro dalla finestra a cavalcioni di un manico di scopa » disse ironica Alicia Coombe. « Ad ogni modo, si armonizza perfettamente con tutto il resto in questa stanza, non è vero? » Si guardò intorno. « Un po' difficile immaginare questo locale senza di lei, eh? »

« Già, infatti » rispose Sybil con un leggero brivido, « ma come vorrei che fosse il contrario! »

« Cioè? »

« Come vorrei riuscire a immaginare questo locale *senza di lei*, invece! »

« Cosa stiamo facendo? Non perderemo il ben dell'intelletto per questa bambola, per caso, eh? » esclamò Alicia Coombe spazientita. « Si può sapere cosa c'è che non va in questa poverina? A me dà un po' l'impressione di un cavolo appassito ma forse è perché non ho gli occhiali. » Aggiunse. Poi se li mise sul naso e osservò con fermezza la bambola. « Sì » disse « capisco quel che volete dire. È *davvero* inquietante, fa proprio venire i brividi... un'aria così triste, ha... sì, però anche furbetta e abbastanza determinata. »

« Strano » seguitò Sybil « che la signora Fellows-Brown abbia provato un'antipatia così violenta nei suoi confronti. »

« È una donna, quella, che non dice mai ciò che pensa » osservò Alicia Combe.

« Però è curioso » insistette Sybil « che questa bambola dovesse farle una tale impressione. »

« Forse » disse Sybil con una risatina « quella bambola *non è mai stata* qui fino a ieri... Forse è proprio... volata dentro dalla finestra, come avete detto voi, e si è stabilita qui. »

« No » disse Alicia Coombe « sono sicura che c'era già da qualche tempo. Forse è diventata visibile solo ieri! »

« È quello che provo anch'io » disse Sybil « ... che fosse già qui da un po'... ma insisto nel ripetere che *non l'ho mai realmente vista* fino a ieri. »

« Adesso, cara » disse Alicia Coombe in tono brusco « basta. Mi fate sentire così strana... con i brividi che mi corrono su e giù per la schiena. Non vorrete creare un'atmosfera soprannaturale intorno a questo pupazzo, per caso? » Afferrò la bambola, la scosse, le riaggiustò le spalle e la mise a sedere su un'altra poltrona. Immediatamente la bambola si accasciò mollemente su se stessa.

« Non sembra assolutamente una creatura umana » disse Alicia Coombe fissando la bambola. « Eppure, a modo suo, sembra proprio viva, eh? »

« Oh che spavento mi ha fatto prendere » ripeteva la signora Groves mentre si aggirava per il salone delle sfilate, spolverando. « Mi ha fatto prendere un tale spavento che, quasi quasi, non ci rimettevo più piede, io, nel salottino di prova! »

« Chi vi avrebbe fatto prendere uno spavento? » domandò la signorina Coombe, che era seduta a una scrivania d'angolo, assorta nell'esame di varia fattura. « Questa qui » aggiunse più per le proprie orecchie che non per quelle della signora Groves, « crede di poter avere due abiti da sera, tre da cocktail e un tailleur all'anno senza sborsare neanche un centesimo! Ma è incredibile la sfacciataggine di certa gente! »

« È quella bambola » disse la signora Groves.

« Cosa? Ancora la nostra bambola? »

« Sì, proprio! Seduta là alla scrivania, come un essere umano! Oh, che spavento mi ha fatto prendere! »

« Ma si può sapere di che cosa state parlando? »

Alicia Coombe si alzò, attraversò il salone a lunghi passi, percorse il pianerottolo ed entrò nel locale di fronte... il salottino di prova. In un angolo c'era un piccolo scrittoio Sheraton e lì, seduta su una sedia, che gli era stata tirata vicino, con le lunghe braccia flosce appoggiate sopra, sedeva la bambola.

« Sembra che qualcuno abbia voluto divertirsi un po' » disse Alicia Coombe. « Che buffa idea, metterla lì, seduta a quel modo! Ma guardate un po'! Ha proprio un'aria naturale. »

In quel momento scendeva dalle scale Sybil

Fox, portando con sé un vestito che doveva essere messo in prova quella mattina stessa.

« Venite qui, Sybil. Guardate la nostra bambola seduta alla mia scrivania: adesso si è addirittura messa a scrivere lettere! »

Le due donne la osservarono.

« Insomma è troppo ridicolo! » disse Alicia Coombe. « Vorrei proprio sapere chi l'ha messa lì a quel modo! Siete stata voi? »

« No, non sono stata io » disse Sybil. « Dev'essere stata una delle ragazze che lavorano di sopra. »

« Uno scherzo molto stupido, davvero! » disse Alicia Coombe. Afferrò la bambola seduta alla scrivania e la scaraventò sul divano.

Sybil distese con cura su una sedia il vestito, poi uscì e risalì nel laboratorio della sartoria.

« Vi ricordate la bambola » chiese, « la bambola di velluto nella stanza della signorina Coombe, giù al piano di sotto... nel salottino di prova? »

La prima lavorante e tre delle ragazze alzarono gli occhi.

« Sì, signora, certo che ce la ricordiamo! »

« Chi ha voluto fare uno scherzo e l'ha messa seduta alla scrivania? »

Le tre ragazze la fissarono, poi Elspeth, la prima lavorante, disse: « Seduta alla scrivania? Io, proprio, non saprei! »

« Neanch'io » disse una delle ragazze. « E tu, Marlene?» Marlene fece segno di no con la testa.

« Lo avete fatto per scherzo, Elspeth? »

« No, davvero! » disse Elspeth, una donna dall'aria severa che dava l'impressione di aver sempre la bocca piena di spilli. « Ho ben altro da fare io! E non ho né voglia né tempo di giocare con le bambole e metterle sedute alla scrivania! »

« Sentite un po' » disse Sybil e, con sua grande sorpresa si accorse di avere la voce un po' tremula. « È stato... è stato uno scherzo proprio divertente, solo che vorrei sapere chi l'ha fatto. »

Le tre ragazze cominciarono a inalberarsi.

« Ve lo abbiamo già detto, signora Fox. Non siamo state noi, vero, Marlene? »

« Io non sono stata » disse Marlene « e se Nellie e Margaret dicono di non essere state neanche loro, vuol dire che non siamo state noi. »

« Avete già sentito la *mia* risposta » disse Elspeth. « E poi, si può sapere cos'è tutta questa storia, signora Fox? »

« Forse è stata la signora Groves? » disse Elspeth.

Sybil scosse la testa. « Impossibile che sia stata la signora Groves. Le ha fatto prendere un *tale* spavento! »

« Voglio venir giù a vedere con i miei occhi » disse Elspeth.

« Adesso non è più lì » disse Sybil. « La signorina Coombe l'ha tolta dalla scrivania e l'ha buttata sul divano. Bene... » e fece una pausa... « volevo semplicemente dire che qualcuno deve averla seduta su quella sedia davanti alla scrivania... pensando che fosse divertente, suppongo! E... e io non capisco perché, chi l'ha fatto, non vuole dirlo! »

« Ve l'ho già ripetuto due volte, signora Fox » disse Margaret. « Non vedo perché dobbiate continuare ad accusarci di dire le bugie. Nessuna di noi farebbe mai una cosa tanto stupida! »

« Scusatemi » disse Sybil. « Non volevo mettervi in agitazione. Ma... ma chi può essere stato? »

«Forse si è alzata e ci è andata con le sue gambe » disse Marlene, e scoppiò in una risatina sciocca.

Per qualche motivo particolare, l'idea suggerita dalla ragazza non piacque a Sybil.

« Oh, ad ogni modo, tutta questa storia non è altro che un mucchio di sciocchezze » disse, e ridiscese.

Alicia Coombe stava canticchiando tra sé tutta allegra. Si guardò in giro.

« Ho smarrito per l'ennesima volta i miei occhiali » disse. « Però non importa. Adesso come adesso non ho voglia di guardare niente. Il guaio è che, quando una persona ha così poca vista come la sottoscritta, e ha smarrito un paio di occhiali, se non ne possiede un altro paio da infilare per ritrovare quelli smarriti, be'... non ci riuscirà mai perché non ci vede abbastanza bene per cercarli! »

« Ve li cerco io » disse Sybil. « Li avevate proprio adesso! »

« Mentre eravate di sopra, sono andata nell'altra stanza. Immagino di averli portati di là con me. »

E passò nell'altro locale.

« Che fastidio! » esclamò Alicia Coombe. « Volevo continuare a fare questi conti ma, senza occhiali... non ci riesco! »

« Vado a prendervi l'altro paio in camera da letto » disse Sybil.

« Al momento, non ne ho un secondo paio » disse Alicia Coombe.

« Possibile? E dove sono finiti? »

« Credo di averli dimenticati ieri quando ero fuori a pranzo. Ho telefonato là e anche nei due negozi dove era andata. »

« Oh, poveri noi » disse Sybil, « dovreste farne *tre* paia, suppongo! »

« Se avessi tre paia di occhiali » disse Alicia Coombe, « passerei la vita a cercarne l'uno o l'altro. No, credo proprio che la cosa migliore sia averne uno soltanto! Così sarò costretta a cercarli fintanto che non li avrò trovati. »

« Saranno pure in qualche posto! » disse Sybil. « Non siete mai uscita da queste due stanze. Qui non ci sono, quindi li avrete lasciati nel salottino di prova. »

Ci andò e lo girò, guardando dappertutto con grande attenzione. Poi, non sapendo più dove cercarli, le venne in mente di sollevare la bambola dal divano.

« Li ho trovati » gridò.

« Oh, e dov'erano, Sybil? »

« Sotto quella cara bamboletta! Probabilmente ce li avrete lasciati cadere quando l'avete messa di nuovo a sedere lì! »

« No. Sono sicurissima di non aver fatto niente di simile! »

« Oh! » esclamò Sybil esasperata. « Allora non ci resta che supporre che sia stata la bambola a prenderli e a nasconderli! »

« Ma, non saprei » disse Alicia, fissando pensierosa la bambola. « Non lo escluderei affatto!

Ha un'aria molto intelligente, non trovate, Sybil? »

« Non credo che mi piaccia quel faccino » disse Sybil. « Sembra che sappia qualcosa che noi ignoriamo. »

« Non trovate che ha un'espressione un po' triste e dolce al tempo stesso? » disse Alicia Coombe, cercando di persuadere l'altra, ma senza molta convinzione.

« Non credo che sia affatto dolce » disse Sybil.

« Non... forse avete ragione... Oh, bene, occupiamoci dei fatti nostri. Lady Lee sarà qui fra dieci minuti. E vorrei preparare e mandare a impostare queste fatture. »

« Signora Fox. Signora Fox. »

« Sì, Margaret? » disse Sybil. « Cosa c'è? »

Sybil era china su un tavolo, intenta a tagliare un pezo di satin.

« Oh, signora Fox, si tratta ancora di quella bambola. Ho portato giù il vestito marrone, come mi avevate detto e la bambola è ancora seduta davanti alla scrivania. E non sono stata io... non è stata nessuna di noi. Per piacere, signora Fox, credetemi, nessuna di noi oserebbe fare una cosa del genere! »

Le forbici di Sybil ebbero un guizzo e scivolarono di lato.

« Ecco! » esclamò stizzita, « guardate che cosa mi avete fatto fare! Oh, be', non è poi un guaio così grosso, per fortuna. Allora, cos'è questa storia della bambola? »

« È seduta di nuovo alla scrivania. »

Sybil scese al piano sottostante ed entrò nel salottino di prova. La bambola si trovava esattamente nella stessa posizione di poco prima.

« Sei una bella ostinata, eh? » disse Sybil, rivolgendosi alla pupattola.

La afferrò senza tante cerimonie e la tornò a mettere sul divano.

« Il tuo posto è qui, bambina mia » disse. « E devi restarci. »

Poi si diresse verso l'altra stanza.

« Signorina Coombe. »

« Sì, Sybil? »

« Sapete che qualcuno si sta prendendo gioco di noi? Quella bambola era seduta ancora alla scrivania. »

« Chi pensate che possa essere? »

« Secondo me, una delle tre ragazze del laboratorio » disse Sybil. « Credono che sia divertente, forse. Naturalmente giurano e spergiurano che non sono loro! »

« Chi pensate che sia... Margaret? »

« No, secondo me non si tratta di Margaret. Aveva un'aria stravolta quando è venuta a dirmelo. Immagino, piuttosto, che sia quella sciocchérella di Marlene, che ride sempre. »

« Ad ogni modo, è una cosa molto stupida da fare! »

« Naturalmente.... è idiota » disse Sybil. « Comunque » aggiunse, corrucciata, « ho intenzione di metter fine a tutta questa faccenda. »

« Cosa avete intenzione di fare? »

« Vedrete » disse Sybil.

Quella sera, quando se ne andò, chiuse a chiave, dall'esterno, la porta del salottino di prova.

« Chiudo a chiave questa porta » disse « e tengo la chiave con me. »

« Oh, capisco » disse Alicia Coombe con l'aria leggermente divertita. « State cominciando a pensare che sia io, vero? Credete che sia tanto distratta da entrare là dentro, pensando di sedermi a quella scrivania e invece di farlo io, prendere la bambola e metterla lì a scrivere, al mio posto, eh? Sarebbe questo, ciò che pensate? E che, poi, me ne dimentico completamente? »

« Be', è sempre una possibilità » ammise Sybil. « Ad ogni modo, voglio avere la completa sicurezza che, stanotte, nessuno potrà prepararci qualche stupido scherzetto. »

La mattina seguente, con le labbra contratte in una piega dura, la prima cosa che Sybil fece, al suo arrivo, fu quella di riaprire la porta del salottino di prova con la chiave e di entrarvi a passo fermo. La signora Groves, con aria offesa, straccio e scopa in mano, era lì ad aspettare sul pianerottolo.

« *Adesso* vedremo! » disse Sybil.

Ma indietreggiò con un'esclamazione smorzata di stupore.

La bambola era seduta alla scrivania.

« Accidenti! » disse la signora Groves alle sue spalle. « È un mistero! Già, proprio un mistero. Oh, signora Fox! Su coraggio, siete diventata tutta pallida! Non vi sentite male? Vi occorre un buon goccetto. La signorina Coombe ha qualcosina da bere di sopra, lo sapete, per caso? »

« Sto benissimo » disse Sybil.

Si diresse verso la bambola, la prese in mano

con cautela e attraversò la stanza tenendola fra le braccia.

« Qualcuno ha voluto farle di nuovo uno scherzo » disse la signora Groves.

« Non so come avrebbero potuto farmelo, stavolta » disse Sybil lentamente. « Ieri sera avevo chiuso a chiave la porta. Sapete benissimo anche voi che nessuno poteva entrare. »

« Forse qualcuno ha un'altra chiave » disse la signora Groves, ansiosa di rendersi utile.

« Non credo » disse Sybil. « Non abbiamo mai pensato di chiudere a chiave questa porta prima d'ora. Si tratta di una di quelle chiavi antiquate... e ce n'è una sola. »

« Forse l'altra chiave... quella della porta di fronte... va bene anche per questa. »

Così, a poco a poco, fecero la prova con tutte le chiavi della sartoria ma nessuna andava bene per la serratura del salottino di prova.

« *È strano*, signorina Coombe » disse Sybil qualche tempo dopo, mentre pranzavano insieme.

Alicia Coombe aveva un'aria quasi contenta.

« Mia cara » disse. « Io trovo che è semplicemente straordinario. Dovremmo scrivere a quella gente che si occupa di studi psichici. Sapete che potrebbero mandare qualcuno a indagare... una medium o qualcosa di simile... per vedere se, nella stanza, c'è qualcosa di strano. »

« A sentirvi, si ha l'impressione che non abbia molta importanza per voi » disse Sybil.

« Ecco, sotto un certo punto di vista, devo dire che – quasi quasi – mi diverto » rispose Alicia Coombe. « Cioè, alla mia età, è piuttosto divertente... quando capitano certe cose! Al tempo stesso... no » aggiunse, rannuvolandosi « non credo che mi piaccia del tutto. Voglio dire che questa bambola comincia a credersi chissà chi, vero? »

Quella sera, Sybil e Alicia Coombe chiusero di nuovo a chiave, dall'esterno, la porta.

« Io continuo a essere convinta » disse Sybil « che qualcuno voglia farci uno scherzo anche se, a dire la verità, non riesco a capire perché... »

« Pensate che, domattina, sarà seduta di nuovo alla scrivania? » domandò Alicia.

« Sì » rispose Sybil, « credo di sì. »

Invece sbagliavano. La bambola non era seduta alla scrivania. Era appollaiata sul davanzale della finestra e guardava fuori, in strada. E, anche questa volta, la sua posizione era piena di una naturalezza straordinaria.

« È terribilmente stupido tutto questo, vero? » disse Alicia Coombe mentre bevevano rapidamente una tazza di tè nel pomeriggio. Di comune accordo non avevano scelto, per l'ora del tè, il salottino di prova come al solito ma si erano riunite nella stanza di fronte, quella privata di Alicia.

« Stupido, in che senso? »

« Be', voglio dire che non c'è niente a cui appigliarsi. Si tratta soltanto di una bambola che si trova sempre in un posto differente. »

A mano a mano che i giorni passavano, questa osservazione sembrò sempre più adeguata. Perché, adesso, la bambola non si spostava solo di notte. In qualsiasi momento entrassero nel salottino di prova, anche dopo essere rimaste assenti solo per pochi minuti, potevano trovare la bambola in un posto diverso: su una poltrona, dopo averla lasciata sul divano. Oppure su una poltrona diversa da quella di prima. Qualche volta era sul sedile sotto la finestra, e qualche altra volta alla scrivania.

« Insomma, si muove come le pare e piace » disse Alicia Coombe. « E io credo, Sybil... credo che questo la diverta. »

Le due donne erano ferme, in piedi, e stavano fissando quella pupattola inerte, afflosciata fra le pieghe dell'abito di morbido velluto, con il visetto di seta dipinta.

« Qualche pezzettino di vecchio velluto e di seta, un po' di pittura, ed è tutto » disse Alicia Coombe. Aveva la voce angustiata. « Suppongo, sapete, che... ehm... potremmo liberarcene. »

« Cosa volete dire? In che senso "liberarcene"? » domandò Sybil con voce quasi sconvolta.

« Be' » disse Alicia Coombe, « potremmo buttarla nel fuoco, se ci fosse un fuoco. Bruciarla, voglio dire, come una strega... Oppure, naturalmente » aggiunse in tono disinvolto, « buttarla nella spazzatura. »

« Non credo che sarebbe una buona soluzione » disse Sybil. « Probabilmente qualcuno la tirerebbe fuori dai rifiuti e ce la verrebbe a restituire. »

« Oppure potremmo mandarla in qualche posto » disse Alicia Coombe. « Sapete, una di quelle associazioni che continuano a scrivere e a chiedere qualcosa... per una vendita di beneficienza, per un bazaar. Credo che sia l'idea migliore. »

« Non so... » disse Sybil. « Avrei quasi paura di compiere un'azione del genere. »

« Paura? »

« Credo che tornerebbe indietro » disse Sybil.

« Volete dire che tornerebbe *qui*? »

« Sì. »

« Come un piccione viaggiatore? »

« Sì, press'a poco. »

« Non ci starà dando di volta il cervello, per caso? » disse Alicia Coombe. « Spero proprio di no. Io non sono completamente rimbambita e voi non mi date ragione come si fa con i matti, vero Sybil? »

« No » disse Sybil. « Ma ho una sensazione spiacevolissima... una terribile sensazione che quella bambola sia troppo forte per noi! »

« Cosa! Un fagotto di stracci? »

« Sì, proprio quell'orribile fagottino di stracci, così molle e floscio. Perché, vedete, è talmente decisa! »

« Decisa? »

« Ad averla vinta? Volete dire che, adesso, questa stanza è diventata *sua*? »

« Sì » ammise Alicia Coombe, guardandosi intorno, « perché è così, vero? Naturalmente, è sempre stato così, se ci pensate bene... i colori e tutto il resto... io pensavo che fosse la bambola ad armonizzarsi con la stanza, ma invece è la stanza ad essere in armonia con lei. Devo dire » continuò la sarta, con una sfumatura più tagliente nella voce « che sembra abbastanza assurdo che una bambola possa venire a prender possesso di certe cose, in questo modo! Sapete che la signora Groves non vuol più farci le pulizie? »

« Dice che ha paura della bambola? »

« No. Ha tirato fuori qualche scusa d'altro genere. » Poi, con voce vagamente impaurita, Alicia aggiunse: « Cosa dobbiamo fare, Sybil? Questa situazione mi deprime. Ormai sono settimane che non riesco a disegnare neanche un modello. »

« Quanto a me, non sono più capace di concentrarmi quando devo tagliare i vestiti » confessò Sybil. « Commetto gli errori più stupidi. Forse » aggiunse incerta, « la vostra idea di scrivere a quella gente delle ricerche psichiche potrebbe esserci utile. »

« Ci prenderebbero per un paio di vecchie stupide » disse Alicia. « Non parlavo seriamente. No, suppongo che dovremo cercare di tirare avanti... fino a quando... »

« Fino a quando... »

« Oh, non lo so » ammise Alicia, e rise per nascondere l'imbarazzo.

La mattina seguente Sybil, quando arrivò, trovò la porta del salottino di prova chiusa a chiave.

« Signorina Coombe, avete voi la chiave? Siete stata voi a chiudere ieri sera? »

« Sì » disse Alicia Coombe « l'ho chiusa a chiave, e così resta adesso! »

« Cosa intendete dire? »

« Voglio semplicemente dire che ho rinunciato a quella stanza. Può averla tutta per sé, la bambola! Non abbiamo bisogno di due salotti. Possiamo fare qui le prove. »

« Quello è il vostro salotto privato. »

« Be', non lo voglio più. Ho una camera da

letto molto bella. Posso trasformarla in una camera da letto-soggiorno, no? »

« Volete dire che non metterete mai più piede in quel salottino di prova? » domandò incredula Sybil.

« Precisamente. »

« Ma... e le pulizie? Si coprirà di polvere, si rovinerà tutto! »

« Non me ne importa nulla! » disse Alicia Coombe. « Se quel locale sta lasciandosi possedere lentamente da una bambola... benissimo... che diventi un suo possesso in senso completo. Che se lo pulisca lei! » E poi aggiunse: « Ci odia, sapete ».

« Come sarebbe? » disse Sybil. « La bambola *odia* noi? »

« Sì » disse Alicia. « Non lo sapevate? Eppure dovete esservene accorta! Non lo avete capito osservandola? »

« Sì » ammise Sybil pensierosa « suppongo di sì. Suppongo di averlo sempre intuito... che ci odiava e voleva scacciarci di qui. »

« È un esserino pieno di malizia » disse Alicia Coombe. « Ad ogni modo, adesso dovrebbe essere soddisfatta. »

Dopo quella decisione drastica la vita seguitò a trascorrere tranquilla. Alicia Coombe annunciò al personale che, per il momento, rinunciava a servirsi del salottino di prova... spiegò che le stanze da pulire e spolverare erano già troppe.

Tuttavia non le fu certo di conforto udire, non vista, una delle lavoranti che diceva a una compagna, quella stessa sera: « Adesso la signorina Coombe è diventata proprio matta. Ho sempre pensato che fosse un po' stramba... non faceva che perdere gli oggetti, e dimenticarsi di tutto. Ma adesso non si controlla più assolutamente. Deve avere una specie di fissazione con quella bambola che c'è giù, nel salottino. »

« Oh, credi proprio che diventerà pazza furiosa? » aveva risposto l'altra. « Che potrebbe accoltellarci o qualcosa del genere? »

Passarono oltre, chiacchierando e Alicia si raddrizzò, più impettita, sulla sedia. Diventar matta, figuriamoci! Poi, aggiunse con tristezza, tra sé: "Se non fosse per Sybil comincio a credere che lo penserei anch'io! Ma con me, Sybil e anche la signora Groves, dà proprio l'impressione che ci sia qualcosa di poco chiaro in questa storia! Quello che non riesco a capire è come finirà, piuttosto! »

Una ventina di giorni dopo, Sybil disse a Alicia Coombe: « *Una volta o l'altra* bisognerà pur entrare in quella stanza ».

« Perché? »

« Voglio dire che sarà in uno stato pietoso. Entreranno le tarme dappertutto, e via dicendo! Dovremmo spazzarla e spolverarla... solo questo... e poi richiuderla a chiave. »

« Io preferirei tenerla così com'è, ben chiusa, e non metterci più piede » disse Alicia Coombe.

Sybil rispose: « Guarda, guarda, siete ancora più superstiziosa di me, sapete? ».

« Probabilmente, sì » ammise Alicia Coombe. « Sono sempre stata più pronta a credere in tutto ciò di quanto non lo siate stata voi, tanto per cominciare... e poi, sapete che... trovo emozionante quello che accade, senza sapermene spiegare il motivo. Non capisco. Però ho paura e preferirei non entrarci più! »

« Io invece voglio entrarci » disse Sybil « e ci entrerò. »

« Sapete per quale ragione volete entrarci? » disse Alicia Coombe. « Siete curiosa, ecco la verità! »

« E va bene, d'accordo. Sono curiosa. Voglio vedere quel che ha fatto la bambola. »

« Io sono sempre dell'opinione che sia meglio lasciarla stare » disse Alicia. « Adesso che abbiamo abbandonato quel locale, è soddisfatta. E fareste meglio a non farle cambiare umore. » Proruppe in un sospiro di esasperazione. « Quante stupidaggini stiamo dicendo! »

« Sì, lo so che stiamo dicendo un sacco di stupidaggini, ma trovatemi un po' voi il modo di *non dirle*... Su, datemi la chiave! »

« Va bene, va bene! »

« Credo che abbiate paura che la lasci venir fuori o qualcosa del genere. Secondo me, dovrebbe essere di quegli esseri che passano attraverso le porte e le finestre! »

Sybil aprì la porta ed entrò.

«Ma è stranissimo » disse.

« Cosa c'è di strano? » chiese Alicia Coombe, occhieggiando al di sopra della sua spalla.

« Questo salottino sembra senza un briciolo di polvere vero? Eppure, si dovrebbe pensare che dopo essere rimasto chiuso tutto questo tempo... »

« Sì, è strano. »

« Eccola! » disse Sybil.

La bambola era sul divano. Ma non vi giaceva

nella solita posizione afflosciata. Invece era seduta ben dritta, con un cuscino dietro la schiena. Aveva l'aria della padrona di casa che sta aspettando di ricevere gente.

« Bene » disse Alicia Coombe « sembra proprio a suo agio, vero? Quasi quasi mi vien voglia di chiedere scusa perché sono entrata. »

« Andiamocene » mormorò Sybil.

Indietreggiò, richiuse la porta e girò la chiave nella serratura.

Le due donne si fissarono.

« Vorrei sapere » disse Alicia Coombe « perché ci spaventa a questo modo... »

« Bontà divina, e chi non si spaventerebbe? »

« Be', voglio dire che, a ben pensarci, cosa sta succedendo qui, in fondo? Niente di così speciale... solo una specie di pupattola che si muove per la stanza. Secondo me non è la bambola in se stessa... è uno spirito che annuncia in questo modo la sua presenza. »

« Oh, questa sì che è una buona idea! »

« Già, ma io non ci credo sul serio. Credo che... credo che sia... la bambola. »

« Siete sicura di non sapere da dove è arrivata? »

« Non ne ho la minima idea » insistette Alicia. « E più ci penso, più sono sicura di non averla affatto comprata, e di non averla ricevuta in regalo da nessuno. Credo che... ecco, che sia arrivata così, semplicemente. »

« Credete che... se ne andrà, un giorno? »

« A dire la verità » rispose Alicia, « non ne vedo il motivo... Ha tutto ciò che vuole. »

Invece sembrava che la bambola non avesse

affatto tutto ciò che voleva. Il giorno seguente, quando Sybil entrò nel salone delle sfilate, restò con il fiato mozzo per lo spavento. Corse a chiamare, sul pianerottolo.

«Signorina Coombe, signorina Coombe, venite giù.»

« Cos'è successo? »

Alicia Coombe, che si era alzata tardi, scese le scale zoppicando leggermente perché soffriva di reumatismi al ginocchio destro.

« Si può sapere cosa vi è successo, Sybil? »

« Guardate. Guardate cos'è capitato, adesso! »

Si trovavano sulla soglia del salone. Seduta su un divano, mollemente appoggiata al bracciolo, c'era la bambola.

« È venuta fuori » disse Sybil. « *È venuta fuori da quella stanza*! Vuole anche questa! »

Alicia Coombe si mise a sedere vicino alla porta. « Alla fine » disse « immagino che vorrà la intera sartoria. »

« È possibile » disse Sybil.

« Brutta antipatica, furba, maligna » disse Alicia rivolgendosi alla bambola. « Si può sapere perché continui a venire a darci fastidio? Non ti vogliamo. »

Le sembrò – e anche Sybil ebbe la stessa impressione – che la bambola abbozzasse un lievissimo movimento. Come se le sue membra si rilassassero ancora di più. Un lungo braccino floscio era allungato sul bracciolo del divano e il visetto, seminascosto, sembrava che occhieggiasse al di sotto di quello. Aveva un'espressione furba e maliziosa.

« Che orribile creatura » disse Alicia. « Non la sopporto. Non la sopporto più! »

D'un tratto, cogliendo completamente di sorpresa Sybil, attraversò rapida la stanza, afferrò la bambola, corse alla finestra, la spalancò e scaraventò la bambola giù, in strada. A Sybil sfuggì un'esclamazione soffocata, un mezzo grido di paura.

« Oh, Alicia, non dovevate farlo! Sono sicura che non dovevate farlo! »

« Bisognava pur fare qualcosa » disse Alicia Coombe. « Insomma non la sopportavo più. »

Sybil la raggiunse alla finestra. Laggiù, sul marciapiede, la bambola giaceva come un fagotto, a faccia in giù.

« L'avete *uccisa* » disse Sybil.

« Non siate ridicola... Come posso uccidere qualcosa che è fatto di due straccetti di seta e di velluto. Non è una persona reale. »

« È orribilmente reale » disse Sybil.

Alicia restò con il fiato sospeso.

« Santo Iddio! Quella bambina... »

Una bambinetta cenciosa si era avvicinata alla bambola. Guardò a destra e a sinistra... la strada non era particolarmente affollata a quell'ora del mattino anche se c'era un certo traffico di automobili; poi, come se fosse soddisfatta di ciò che aveva visto, la piccina si chinò a raccogliere la bambola e scappò verso l'altro marciapiede.

« Ferma, ferma! » gridò Alicia.

Si voltò verso Sybil.

« Quella bambina non deve prendere la bambola. *Non deve*! Quella bambola è pericolosa... è cattiva. Dobbiamo impedirglielo. »

Ma non furono loro a fermarla, fu il traffico. In quel momento tre tassì arrivarono da una direzione e due furgoni carichi di merce da quella opposta. La bambina si trovò bloccata su un'isola pedonale, in mezzo alla strada. Sybil scese le scale a precipizio, Alicia Coombe la seguì. Sgusciando fra un furgone e un'automobile, Sybil, con Alicia Coombe alle calcagna, arrivò sull'isola pedonale prima che la bambina potesse guadagnare il marciapiede opposto, passando fra il traffico.

« Non puoi portar via quella bambola » disse Alicia Coombe. « Restituiscimela. »

La bambina la guardò. Era un cosino magro magro, sugli otto anni, leggermente strabica. Ma il suo visetto aveva un'espressione di sfida.

« Perché dovrei darvela? » disse. « Buttata giù dalla finestra l'avete... già... vi ho visto. Se l'avete gettata giù dalla finestra, vuol dire che non la volete, così adesso è mia. »

« Te ne comprerò un'altra » esclamò Alicia ormai in preda alla disperazione. « Andiamo in un negozio di giocattoli... ti compro quello che vuoi... la bambola più bella che riusciremo a trovare. Ma devi restituirmi questa. »

« No che non la restituisco » disse la piccina.

Le sue braccine circondarono con aria di protezione la bambola di velluto.

« *Devi renderla* » disse Sybil. « Non è tua. »

E protese la mano, per togliere la bambola alla bambina. Ma in quello stesso istante, la piccina batté un piede al suolo, si voltò e si mise a gridare contro le due donne:

« No! no, e poi no! È mia, mia! Le voglio bene. *Voi* non le volete bene. La odiate. Se non la odiavate, non l'avreste buttata giù dalla finestra. Io le voglio bene, avete capito? Ed è tutto quello che cerca. La bambola *cerca* qualcuno che le voglia bene. »

Poi, sgusciando come un'anguilla fra i veicoli, la bambina attraversò la strada, imbocco una viuzza e scomparve prima che le due donne si decidessero a scansare le automobili e a seguirla.

« È sparita » mormorò Alicia.

« Ha detto che la bambola cercava qualcuno che le volesse bene » disse Sybil.

« Forse » disse Alicia « forse è quello che ha sempre voluto fin dal principio... un po' di amore... »

Nel mezzo del traffico londinese le due donne atterrite si fissarono.

La follia di Greenshaw

I due uomini aggirarono il fitto dei cespugli.

« Bene, eccoci qui! » disse Raymond West. « Guarda. »

Horace Bindler diede un'attenta occhiata di valutazione.

« Ma, mio caro » esclamò, « è una meraviglia! » La sua voce assunse una nota stridula nell'entusiasmo dell'apprezzamento estetico, quindi ebbe un tono basso di stupore reverente. « È incredibile. Fuori del mondo! Un pezzo d'epoca tra i migliori. »

« Lo pensavo che ti sarebbe piaciuta » commentò Raymond West con soddisfazione.

« Piacermi? Mio caro... » A Horace mancavano le parole. Sfilò la tracolla della macchina fotografica e si mise al lavoro. « Questa sarà una delle perle della mia collezione » disse, felice. « Non trovi anche tu che sia piuttosto divertente possedere una collezione di mostruosità? L'idea mi è venuta nella vasca da bagno, una sera di sette anni fa. La mia ultima vera perla l'ho trovata a Genova, al Campo Santo, ma credo proprio che questa la superi. Come si chiama? »

« Non ne ho la minima idea » rispose Raymond West.

« Suppongo abbia un nome, no? »

« L'avrà senz'altro. Il fatto è che tutti da queste parti l'hanno sempre chiamata La Follia di Greenshaw. »

« Greenshaw è l'uomo che l'ha costruita? »

« Sì. Nel 1860 o '70, o giù di lì. All'epoca qui si faceva un gran parlare della folgorante carriera del ragazzino scalzo che era riuscito a diventare enormemente ricco. L'opinione locale riguardo alle ragioni per cui egli costruì questa casa è controversa. C'è chi sostiene che si trattò di pura e semplice sovrabbondanza di denaro, altri affermano che fu costruita per sbalordire i creditori. Se quest'ultima ipotesi è valida, non li sbalordì affatto. Greenshaw finì per far bancarotta o qualcosa del genere. Donde il nome di Follia di Greenshaw. »

Horace faceva scattare la macchina fotografica. « Ecco fatto! » disse con voce soddisfatta. « Rammentami di mostrarti il numero trecentodieci della mia collezione. La mensola di marmo di un caminetto in stile italiano veramente pazzesca. » Guardando la casa soggiunse: « Non riesco a concepire come sia potuta venire in testa un'idea simile al signor Greenshaw. »

« Per certi versi è piuttosto ovvio » rispose Raymond. « Aveva visitato i castelli della Loira, non pensi? Quelle torrette... E poi, malauguratamente, sembra che abbia fatto viaggi in Oriente. L'influsso del Taj Mahal è incontestabile. Mi piacciono abbastanza l'ala moresca e » concluse

« le linee che ricordano un palazzo veneziano. »

« Mi stupisco che abbia trovato un architetto disposto a realizzare queste idee. »

Raymond scrollò le spalle.

« Oh, non ci saranno stati problemi per questo, presumo. Probabilmente » disse « l'architetto si è ritirato a vita privata, con un buon reddito vita natural durante, mentre il povero Greenshaw si è rovinato. »

« Potremmo dare un'occhiata anche all'altra parte? » chiese Horace, « oppure è violazione di proprietà? »

« È senz'altro violazione di proprietà, ma non credo ci succederà nulla. »

Si voltò per portarsi sull'angolo della costruzione, con Horace che gli saltellava appresso.

« Ma chi ci abita, mio caro? Orfani o turisti in vacanza? Non può essere una scuola. Non ci sono campi da gioco, non riscontra un'attività effervescente. »

« Oh, c'è ancora qualcuno della famiglia Greenshaw che ci abita » disse Raymond girando il capo sopra la spalla. « La casa non è stata inghiottita dalla bancarotta. L'ha ereditata il figlio del vecchio Greenshaw. Un tipo avaro che viveva in un solo angolo della casa. Non ha mai speso un centesimo. Probabilmente non ha mai avuto un centesimo da spendere. Ora ci vive sua figlia. Un'anziana signorina... molto strana. »

Mentre parlava, Raymond si congratulava con se stesso di aver pensato alla Follia di Greenshaw per far divertire il suo ospite. Questi critici letterari si dichiaravano sempre smaniosi di trascorrere un fine settimana in campagna poi, quando ci arrivavano, trovavano la campagna molto noiosa. Il giorno dopo ci sarebbero stati i quotidiani della domenica ma, per la giornata, Raymond era soddisfatto di aver proposto una visita alla Follia di Greenshaw al fine di arricchire la famosa collezione di mostruosità di Horace Bindler.

Svoltarono l'angolo e sbucarono su un prato trascurato. In fondo c'era un giardino roccioso artificiale, sul quale era china una persona alla cui vista Horace afferrò Raymond per un braccio con aria eccitata.

« Mio caro! » esclamò « vedi che cosa indossa? Un vestito di cotonina a fiori. Proprio come una cameriera... quando esistevano le cameriere. Uno dei miei ricordi più preziosi è un soggiorno in una casa di campagna, quando ero ragazzino. Una vera cameriera veniva a svegliarmi al mattino, tutta un fruscio nell'abito di cotonina, con la cuffietta in testa. Sì, caro ragazzo mio, *davvero,* una cuffietta. Di mussola con i nastrini. No, forse i nastrini li aveva la cameriera che serviva in tavola. Comunque, si trattava di una vera cameriera, che entrava nella stanza portando un'enorme brocca di rame piena di acqua bollente. Che giornata fantastica! ».

La persona col vestito di cotonina si era raddrizzata e si era voltata verso di loro, tenendo in mano una paletta da giardinaggio. Era una figura piuttosto sbalorditiva. Riccioli spettinati color grigio acciaio le cadevano a ciocche sulle spalle e, ben premuto sul capo, aveva un cappello di paglia, abbastanza simile a quelli che si usano per i cavalli in Italia. L'abito stampato le scendeva quasi alle caviglie. Nel volto, segnato dalle intemperie e non troppo pulito, spiccavano due occhietti furbi che studiavano i due uomini, valutandoli.

« Devo scusarmi per aver sconfinato, signorina Greenshaw » disse Raymond West, avanzando verso di lei. « Ma il signor Horace Bindler, che è mio ospite... »

Horace chinò il capo e si tolse il cappello.

« ...è molto interessato... alla storia antica... e ai begli edifici. »

Raymond West parlava con la facilità del celebre scrittore che sa di essere famoso e di potersi avventurare laddove gli altri non possono.

La signorina Greenshaw si girò a guardare la caotica esuberanza architettonica alle proprie spalle.

« È una bella casa » dichiarò in tono di apprezzamento. « L'ha costruita mio nonno... prima che io nascessi, naturalmente. A quanto riferiscono, sembra abbia affermato di averlo fatto per sbalordire la gente del posto. »

« Direi che ci è proprio riuscito, signorina! » commentò Horace Bindler.

« Il signor Bindler è un critico letterario molto noto » spiegò Raymond West.

Era evidente che la signorina Greenshaw non stravedeva per i critici letterari. La notizia non le fece alcun effetto.

« Io la considero » disse, riferendosi alla casa « un monumento al genio di mio nonno. Ci sono degli sciocchi che vengono qui e mi chiedono perché non la vendo e non vado ad abitare in appartamento! Che cosa ci farei io in un appartamento? Questa è casa mia e qui sto » disse la signorina Greenshaw. « Ho sempre vissuto qui. » Rifletté, rimuginando sul passato. « Eravamo in tre. Laura ha sposato il curato. Papà non le ha dato un centesimo, sosteneva che i preti non dovevano interessarsi delle cose terrestri. Lei è morta dando alla luce un figlio. Che è morto a sua volta di lì a poco. Nettie è scappata con il maestro di equitazione. Papà l'ha tagliata fuori dal testamento, naturalmente. Harry Fletcher era un bell'uomo, ma inetto. Non credo che Nettie sia stata felice con lui. Comunque, non è vissuta a lungo. Hanno avuto un figlio, che, ogni tanto, mi scrive. Ma certo non è un Greenshaw. L'ultima dei Greenshaw sono io. » Raddrizzò le spalle con un certo orgoglio e riassestò l'angolazione sghemba del cappello di paglia. Poi voltandosi, disse bruscamente: « Si, signora Cresswell, che cosa c'è? ».

Dalla casa si stava avvicinando una persona che, vista a fianco della signorina Greenshaw, appariva buffamente diversa. La signora Cresswell aveva una testa pettinata in modo stupendo, con una massa di capelli azzurrini che svettavano in una elaborata e meticolosa sistemazione di ricci e boccoli. Era come se si fosse acconciata nello stile di una nobildonna francese in procinto di recarsi a un ballo in maschera. Il resto della sua figura di donna di mezza età era fasciato da un vestito che avrebbe dovuto essere di frusciante raso nero ma, in effetti, era di un lustro tessuto nero artificiale. Pur non essendo uno donna grassa, aveva un seno oltremodo sviluppato e sporgente. Quando parlò la voce si rivelò singolarmente profonda. La dizione era squisita – soltanto una lieve esitazione sulle parole che iniziavano con la p, e la pronuncia finale con una aspirazione esagerata portava a sospettare che, in un lontano periodo della sua gioventù, potesse aver avuto qualche difficoltà nel pronunciare la r.

« Il pesce, signorina » disse la signora Cresswell, « il pezzo di merluzzo. Non è arrivato. Ho chiesto ad Alfred di scendere in paese a prenderlo ma lui si rifiuta di andare. »

Piuttosto inaspettatamente la signorina Greenshaw ebbe una risatina soffocata.

« Si rifiuta, eh? »

« Alfred, signorina, è diventato piuttosto sgarbato. »

La signorina Greenshaw portò due dita sporche di terriccio alle labbra, d'improvviso emise un fischio lacerante e poi urlò: « Alfred, Alfred, vieni qui ».

In risposta alla chiamata, comparve da dietro l'angolo della casa un giovanotto con una vanga in mano. Aveva un viso bello e sfrontato e, mentre si avvicinava, lanciò un'occhiata manifestamente malevola in direzione della signora Cresswell.

« Mi volevate, signorina? »

« Sì, Alfred. Ho sentito che ti sei rifiutato di andare in paese a prendere il pesce. Cos'è questa storia, eh? »

Alfred rispose con voce sgarbata:

« Ci vado se lo volete *voi*, signorina. Basta che lo diciate. »

« Lo voglio. È per la mia cena. »

« D'accordo, signorina, ci vado subito. »

Lanciò un'occhiata insolente alla signora Cresswell che avvampò e mormorò qualcosa a bassa voce.

« Adesso che ci penso » disse la signorina Greenshaw, « un paio di ospiti estranei sono proprio quello che ci serve, vero signora Cresswell? »

La signora Cresswell ebbe un'espressione perplessa.

« Scusate, signorina... »

« Sapete-per-che-cosa » ribadì l'altra, facendo un cenno col capo. « Il beneficiario di un testamento non può fungere da testimone. È giusto, vero? » chiese, rivolgendosi a Raymond West.

« Giustissimo » rispose Raymond.

« Me ne intendo abbastanza di faccende legali » continuò la signorina Greenshaw, « e voi siete due persone stimate. »

Scaraventò la paletta da giardinaggio nel cesto per la raccolta delle erbacce.

« Vi dispiacerebbe salire con me in biblioteca? »

« Ne saremo felici » rispose con avida impazienza Horace Bindler.

L'anziana signorina fece strada attraverso le porte-finestre, oltre un ampio salone tutto giallo e oro, con le pareti rivestite di broccato sbiadito e con le foderine sui mobili per proteggerli dalla polvere. Quindi passò nel vasto atrio e prese a salire una scala, entrando in una stanza al secondo piano.

« La biblioteca di mio nonno » annunciò.

Horace si guardò attorno con profondo compiacimento. Dal suo punto di vista era una stanza decisamente piena di mostruosità. Teste di sfingi facevano mostra di sé su mobili assurdi, una colossale statua di bronzo raffigurava, almeno così parve, Paolo e Virginia, e c'era anche un gran pendolo di bronzo con decorazioni in stile classico che lui bruciava dalla voglia di fotografare.

« Un bel mucchio di libri » disse la signorina Greenshaw.

Raymond stava già guardandoli. Da una prima occhiata superficiale vide che non c'erano libri di grande interesse e, per la verità, sembrava che nessuno di quei volumi fosse stato sfogliato fino a quel momento. Erano tutte serie di classici magnificamente rilegati, come si usava acquistare cinquant'anni prima quando si voleva formare una biblioteca per gente di classe. C'erano persino alcuni romanzi di vecchia data. Ma nemmeno quelli recavano traccia di essere stati letti.

La signorina Greenshaw stava armeggiando nei cassetti di una grande scrivania. Alla fine ne estrasse un documento in carta pergamena.

« Il mio testamento » disse. « Bisogna pur lasciare a qualcuno i propri denari... almeno così si dice. Se morissi senza aver fatto testamento probabilmente andrebbe tutto al figlio di quel domatore di cavalli! Bell'uomo, Alfred Fletcher, ma un vero e proprio farabutto. Non vedo perché mai suo figlio dovrebbe ereditare questa casa. No » proseguì quasi in risposta a una muta obiezione, « ho deciso. Lascio tutto alla Cresswell. »

« Alla vostra cameriera? »

« Sì. Gliel'ho spiegato. Faccio un testamento in cui lascio tutto quello che ho e, in cambio, non sono più tenuta a pagarle lo stipendio. Risparmio un mucchio di spese vive e lei è obbligata a rigare diritta. Non le verrà mai l'uzzolo di darmi gli otto giorni e di piantarmi in asso da un momento all'altro. Ha un'aria molto aristocratica e cose del genere, vero? Ma suo padre era soltanto un modestissimo stagnino. Non ha proprio di che darsi tante arie. »

Ora la signorina Greenshaw aveva spiegato il foglio. Prendendo una penna, l'immerse nel calamaio e mise la propria firma, Katherine Doroty Greenshaw.

« Bene » disse. « Mi avete visto firmare, adesso firmate voi due e con questo tutto è legalmente a posto. »

Porse la penna a Raymond West. Egli esitò un istante, provando un'inattesa repulsione verso ciò che gli veniva chiesto di fare. Poi, in fretta, scarabocchiò il suo famoso autografo, quello per il quale, con la posta del mattino, era solito ricevere almeno sei richieste.

Horace gli prese la penna di mano e appose la propria firma a caratteri minuti.

« Ecco fatto! » dichiarò la signorina Greenshaw.

Si avvicinò ai ripiani dei libri e rimase ferma a osservarli, con espressione di dubbio, poi aprì un'anta di vetro, tolse un libro e vi infilò tra le pagine la pergamena piegata.

« Ho i miei nascondigli per conservare le cose » disse.

« *Il Segreto di Lady Audley* » osservò Raymond West, dando una scorsa al titolo mentre lei rimetteva a posto il volume.

La signorina Greenshaw ebbe una risatina secca.

« A suo tempo fu un best-seller. Ma non come i vostri libri, eh? »

All'improvviso diede a Raymond una gomitata cordiale nelle costole. Questi rimase stupito che lei fosse al corrente della sua attività di scrittore. Pur essendo un grosso nome nel campo letterario, Raymond scriveva libri che non potevano essere considerati veri e propri best-seller. Anche se, con il sopraggiungere della mezza età, si era un po' ammorbidito, le sue opere abbordavano molto realisticamente il lato squallido della vita.

«Potrei » chiese Horace col fiato un po' mozzo « fare una foto del pendolo? »

« Ma certo » rispose la signorina Greenshaw. « Credo provenga dall'Esposizione di Parigi. »

« Molto probabile » disse Horace scattando la foto.

« Questa stanza non è stata usata molto dai tempi di mio nonno » disse miss Greenshaw. « Questa scrivania è piena di suoi diari. Credo interessanti, anche. Non ho la vista abbastanza buona per leggerli. Mi piacerebbe farli pubblicare, ma suppongo ci si dovrebbe lavorare sopra un bel po' »

« Potreste assumere qualcuno per fare questo lavoro » propose Raymond West.

« Lei pensa davvero? È un'idea, sapete? Ci penserò sopra. »

Raymond West diede un'occhiata all'orologio.

« Non dobbiamo approfittare oltre della vostra cortesia » disse.

« È stato un piacere vedervi » disse la signorina Greenshaw con grazia compita. « Pensavo fosse l'agente di polizia quando vi ho sentiti girare l'angolo della casa. »

« Perché l'agente di polizia? » chiese Horace, che poneva sempre domande senza preoccuparsi della loro convenienza.

La signorina Greenshaw rispose in modo inaspettato.

« Se volete sapere l'ora, chiedetela a un poliziotto » disse con voce cantilenante e, dopo quell'esempio di umorismo vittoriano, diede una gomitata nelle costole anche a Horace e scoppiò a ridere fragorosamente.

« È stato un pomeriggio magnifico! » commentò Horace sospirando mentre tornavano a casa. « Davvero, in quel posto c'è proprio tutto. L'unica cosa che manca in quella biblioteca è un cadavere. Quegli antiquati romanzi polizieschi che parlano di delitti in biblioteca... sono sicuro che è proprio il tipo di biblioteca che gli autori avevano in mente. »

« Se vuoi discutere di delitti » disse Raymond « devi parlare con mia zia Jane. »

« Tua zia Jane? Intendi Miss Marple? » Horace era un po' perplesso.

L'affascinante signorina di altri tempi cui era stato presentato la sera precedente sembrava l'ultima persona al mondo da citare in rapporto al crimine.

« Oh, sì, il delitto è una delle sue specialità! » rispose Raymond West.

« Ma mio caro, è affascinante! Che cosa intendi veramente? »

« Intendo proprio questo » rispose Raymond.

Parafrasò: « C'è chi commette i delitti, chi resta implicato in delitti, e chi i delitti se li vede piovere addosso. Mia zia Jane appartiene alla terza categoria ».

« Stai scherzando? »

« Neanche un po'. Se vuoi particolari in merito puoi rivolgerti all'ex ispettore capo di Scotland Yard, a svariati commissari di polizia e a due o tre attivissimi ispettori del Criminal Investigation Department. »

Horace disse in tono felice che i miracoli avvenivano sempre.

Seduti al tavolino a bere il tè diedero a Joan West, moglie di Raymond, a Louise Oxley, nipote di lei, e all'anziana Miss Marple un riassunto degli eventi del pomeriggio, spiegando particolareggiatamente tutto ciò che la signorina Greenshaw aveva detto loro.

« Ma io ho la sensazione » disse Horace « che ci sia qualcosa di piuttosto sinistro in tutto l'ambiente. Quella creatura dall'aspetto di una duchessa, la governante... arsenico, magari nella teiera, ora che sa che la padrona ha fatto testamento in suo favore. »

« Cosa ne dici, zia Jane » chiese Raymond « ci sarà un delitto oppure no? Che ne pensi? »

« Io penso » rispose Miss Marple avvolgendo la lana sul gomitolo con espressione severa « che non dovresti scherzare tanto su queste cose, come fai, Raymond. L'arsenico, certo, è una discreta possibilità. Facile da ottenere. Probabilmente già presente nel capanno degli attrezzi sotto forma di prodotto per estirpare le erbacce. »

« Oh, via cara! » disse Joan West in tono affettuoso « non sarebbe un po' troppo ovvio? »

« È giusto fare testamento » disse Raymond. « Non suppongo che la povera vecchietta abbia qualcosa da lasciare tranne quell'orribile elefante bianco che è la casa, e chi la vorrebbe? »

« Forse una società di produzione cinematografica » disse Horace « oppure un albergo o un ente benefico? »

« Penserebbero di comperarla per una quisquilia » replicò Raymond ma Miss Marple stava scuotendo la testa.

« Sai, caro Raymond, su questo non posso essere d'accordo con te. Circa il denaro, voglio dire. Il nonno evidentemente era uno di quegli spendaccioni che guadagnano facilmente denaro ma non sanno conservarlo. Lui sarà fallito, come dici, ma non credo sia stata vera e propria bancarotta, altrimenti il figlio non avrebbe avuto la casa. Il figlio, invece, come spesso accade, aveva un carattere affatto diverso da quello paterno. Un avaro. Un tipo che risparmiava ogni centesimo. Direi che, nel corso della vita, deve aver messo da parte una bella somma. Questa signorina Greenshaw sembra aver preso da lui, cioè non le piace spendere. Sì, direi proprio che è assai probabile che abbia accantonato una cifra ragguardevole. »

« In tal caso » disse Joan West « mi domando... non andrebbe bene per Louise? »

Guardarono Louise che sedeva accanto al fuoco, in silenzio.

Louise era la nipote di Joan West. Il suo matrimonio si era "scollato" come lei stessa affermava, di recente ed era rimasta con due figli piccoli e una disponibilità finanziaria appena sufficiente.

« Voglio dire » continuò Joan « se questa signorina Greenshaw vuole veramente qualcuno che esamini i diari e prepari un libro per la pubblicazione... »

« È un'idea » s'intromise Raymond.

Louise disse a bassa voce: « È un lavoro che potrei fare e penso che mi piacerebbe ».

« Le scriverò » affermò Raymond.

« Mi domando » disse Miss Marple pensosamente « che cosa intendeva la vecchia signorina con quell'osservazione sull'agente di polizia. »

« Oh, era soltanto uno scherzo. »

« Mi fa pensare » continuò Miss Marple, annuendo con vigorosi cenni del capo « mi fa pensare proprio al signor Naysmith. »

« Chi era il signor Naysmith? » domandò incuriosito Raymond.

« Un apicoltore » rispose Miss Marple « ed era bravissimo a risolvere i giochi enigmistici sui giornali della domenica. Ma a volte ciò provocava guai. »

Tutti rimasero in silenzio per un attimo, riflettendo sul signor Naysmith ma, poiché non sembrava vi fosse alcun punto di somiglianza tra lui e la signorina Greenshaw, finirono col dirsi che forse la cara zia Jane, invecchiando, stava diventando un po' confusa.

Horace Bindler tornò a Londra senza aver raccolto altre mostruosità e Raymond West scrisse una lettera alla signorina Greenshaw in cui le diceva di conoscere una certa signora Louise

Oxley, che sarebbe stata in grado di intraprendere il lavoro dei diari. Dopo alcuni giorni arrivò una lettera, scritta in una calligrafia appuntita e antiquata, in cui la signorina Greenshaw si dichiarava ansiosa di avvalersi delle prestazioni della signora Oxley e le fissava un appuntamento per parlarle e vederla.

Louise andò all'appuntamento, furono stabilite condizioni generose e lei iniziò a lavorare il giorno successivo.

« Ti sono enormemente grata » disse a Raymond. « È perfetto. Posso portare i ragazzi a scuola, andare alla Follia di Greenshaw, poi recarmi a riprenderli quando torno. Che casa fantastica! E la vecchia, bisogna vederla per credere che esiste davvero! »

Dopo il primo giorno di lavoro tornò a casa la sera e descrisse come era andata.

« Non ho quasi visto la governante » disse. « È arrivata col caffè e i biscotti alle undici e mezzo, con le labbra tese in una smorfia e non mi ha quasi rivolto la parola. Credo disapprovi che io sia stata assunta. » Proseguì: « A quanto pare, c'è una situazione di forte antagonismo tra lei e il giardiniere, Alfred. È un ragazzo del posto e piuttosto pigro, immagino. Non si rivolgono la parola. La signorina Greenshaw ha detto in quel suo stile piuttosto magniloquente: "Da quando ricordo, ci sono sempre state liti tra il personale addetto al giardinaggio e quello addetto alla cucina. Era così ai tempi di mio nonno. C'erano tre uomini e un ragazzo allora, in giardino, e otto cameriere in casa, ma avvenivano sempre litigi". »

Il giorno successivo Louise arrivò con un'altra notizia.

« Pensate un po » disse « oggi mi è stato chiesto di telefonare al nipote. »

« Il nipote della signorina Greenshaw? »

« Sì. A quanto pare fa l'attore in una compagnia stabile che lavora per tutta la stagione estiva a Boreham-on-Sea. Ho chiamato il teatro e ho lasciato una comunicazione per invitarlo a pranzo domani. Piuttosto divertente, davvero. La vecchia ragazza non voleva che la governante lo sapesse. Credo che la signora Cresswell abbia fatto qualcosa che l'ha irritata. »

« Domani avremo un'altra puntata di questo avvincente romanzo » disse Raymond in un mormorio.

« È proprio come un romanzo a puntate, no? Riconciliazione col nipote, il sangue non è acqua, un altro testamento da stilare e quello vecchio da distruggere. »

« Zia Jane, hai un'aria molto seria. »

« Davvero, cara? Hai più saputo qualcosa dell'agente di polizia? »

Louise parve sorpresa. « Non so nulla di nessun agente di polizia. »

« Quell'osservazione, mia cara » commentò Miss Marple « deve pur aver avuto un significato. »

Il giorno successivo Louise arrivò al lavoro di buon umore. Passò dalla porta d'ingresso aperta – porte e finestre in quella casa erano sempre aperte. Non pareva che la signorina Greenshaw avesse paura dei ladri e probabilmente aveva ragione, poiché la maggioranza degli oggetti in quella casa pesavano varie tonnellate e non avevano valore commerciale.

Louise era passata davanti ad Alfred sul vialetto. Quando lo aveva scorto lui era appoggiato a un albero e fumava una sigaretta ma, non appena l'aveva vista, aveva afferrato una scopa e aveva cominciato a spazzare diligentemente le foglie. Un giovanotto pigro, ma di bell'aspetto. I suoi lineamenti le ricordavano qualcuno. Nell'attraversare l'atrio per salire in biblioteca diede un'occhiata al grande ritratto di Nathaniel Greenshaw che troneggiava sopra il camino e che lo raffigurava all'acme della prosperità vittoriana, appoggiato allo schienale di un'ampia poltrona, le mani posate sulla catena d'oro da orologio che gli attraversava il ventre capace. Mentre con lo sguardo risaliva dal ventre al volto dalle guance pesanti, dalle folte sopracciglia e dai vistosi baffi neri, pensò che Nathaniel Greenshaw da giovane doveva essere stato un bell'uomo. Forse c'era una vaga somiglianza con Alfred...

Passò in biblioteca al primo piano, si chiuse la porta alle spalle, scoperchiò la macchina per scrivere e tolse dal cassetto laterale della scrivania i diari. Dalla finestra aperta intravide da basso la signorina Greenshaw, con un abito stampato color pulce, china sul giardino roccioso, intenta a estirpare le erbacce. C'erano stati due giorni di umidità, cosa di cui le erbacce avevano approfittato in pieno.

Louise, una ragazza cresciuta in città, decise che se avesse posseduto un giardino questo non avrebbe mai contenuto un giardino roccioso in cui bisognava estirpare a mano le erbacce. Poi si mise al lavoro.

Quando la signora Cresswell entrò in biblioteca alle undici e mezo, col vassoio del caffè, appariva evidentemente di cattivo umore. Sbatté il vassoio sulla tavola e fece un'osservazione che era rivolta all'intero universo.

« Gente a pranzo... e niente in casa! Vorrei sapere che cosa pensano che dovrei fare? E di Alfred nessuna traccia. »

« Quando sono arrivata stava scopando il vialetto » rispose con garbo Louise.

« Accipicchia! Che lavoro pesante! »

La signora Cresswell uscì dalla stanza rapidamente, sbattendosi la porta alle spalle. Louise sorrise tra sé. Si chiese che tipo potesse essere il nipote.

Finì di bere il caffè e si rimise a lavorare. Il lavoro l'assorbiva tanto che il tempo passò in fretta. Quando aveva iniziato a tenere un diario, Nathaniel Greenshaw aveva ceduto al piacere della sincerità. Mentre batteva a macchina un passo che riferiva le attrattive personali di una barista di una città vicina, Louise pensò che il libro avrebbe richiesto una buona revisione.

Mentre rifletteva su questo, sobbalzò nell'udire un urlo dal giardino. Saltò dalla sedia e corse verso la finestra aperta. Da basso la signorina Greenshaw stava allontanandosi barcollando dal giardino roccioso, diretta verso la casa. Si stringeva le mani al petto e tra di esse sporgeva una asta piumata. Sbalordita, Louise si rese conto che si trattava di una vera e propria freccia.

La testa della signorina Greenshaw, coperta

dal vecchio cappello di paglia, reclinò sul petto. L'anziana donna chiamò Louise con voce flebile: « Colpita... lui mi ha colpita... con una freccia... cercate aiuto... »

Louise si precipitò alla porta. Girò il pomolo della maniglia ma la porta non si aprì. Trascorsero alcuni attimi di inutili sforzi prima che lei capisse di essere stata chiusa nella stanza. Tornò di corsa alla finestra e gridò: « Mi hanno chiusa dentro ».

La signorina Greenshaw, la schiena voltata, barcollante, stava chiamando la governante a una finestra più lontana.

« Chiamate la polizia... telefonate... »

Quindi, sbandando di qua e di là come un ubriaco, la signorina Greenshaw scomparve alla vista entrando dalla porta-finestra nel soggiorno al pianoterra. Un attimo dopo Louise udì un fracasso di porcellana infranta, un tonfo pesante, quindi silenzio. Con l'immaginazione ricostruì la scena. La signorina Greenshaw deve essere inciampata alla cieca in un tavolino sul quale stava un servizio da tè di porcellana di Sèvres.

Con disperazione Louise prese a picchiare sulla porta, chiamando e gridando. Fuori della finestra non c'erano piante rampicanti o tubi di scolo per potersi calare fino a terra.

Alla fine, stanca di picchiare sulla porta, Louise tornò alla finestra. Vide comparire la testa della governante alla finestra della sua stanza, più oltre.

« Venite ad aprirmi, sono chiusa dentro, signora Oxley. »

« Anch'io. »

« Oh, santo cielo, è tremendo! Ho telefonato alla polizia. Qui c'è una derivazione del telefono. Ma quello che non riesco a capire, signora Oxley, è perché siamo state chiuse dentro. Non ho sentito girare la chiave nella toppa. E voi? »

« No. Non ho sentito nulla! Oh, Dio mio, che facciamo? Forse Alfred ci sentirà. » Louise urlò con tutto il fiato che aveva in gola: « Alfred, Alfred ».

« Sarà andato a mangiare, sicuramente. Che ore sono? »

Louise diede un'occhiata all'orologio.

« Dodici e venticinque. »

« Non dovrebbe muoversi di qui fino alle dodici e mezzo ma, ogni volta che gli riesce, scappa via prima. »

« Pensate... pensate... »

Louise intendeva chiedere: "Pensate che sia morta?", ma le parole le rimasero bloccate in gola.

Non c'era altro da fare che attendere. Sedette sul davanzale della finestra. Sembrava fosse trascorsa un'eternità quando vide svoltare da dietro l'angolo della casa la figura flemmatica di un agente di polizia col casco. Si sporse fuori della finestra e lui alzò il viso e la guardò, schermandosi gli occhi con una mano.

« Che sta succedendo qui? » chiese.

Dalle rispettive finestre Louise e la signora Cresswell gli riversarono addosso una valanga di parole concitate.

L'agente prese un blocco e una matita.

« Voi signore siete corse di sopra e vi siete chiuse a chiave? Posso avere i vostri nomi, prego? »

« Qualcuno ci ha chiuse dentro. Venite ad aprirci. »

L'agente disse in tono di riprovazione: « Ogni cosa a tempo debito ». E scomparve attraverso la porta-finestra sottostante.

Ancora una volta il tempo parve eterno. Louise udì il rombo di un motore e poi, dopo un periodo che le parve un'ora, ma si trattava di tre minuti in realtà, un sergente di polizia più sveglio del primo agente liberò prima la signora Cresswell, poi Louise.

« E la signorina Greenshaw? » domandò Louise con voce strozzata. « Che... che cos'è successo? »

Il sergente si schiarì la gola.

« Mi dispiace dovervi dire, signora » rispose « quello che ho già detto qui alla signora Cresswell. La signorina Greenshaw è morta. »

« Ammazzata » disse la signora Cresswell. « Perché di questo si tratta... omicidio. »

Il sergente disse in tono dubitativo: « Potrebbe essere stato un incidente... qualche ragazzetto di campagna che tirava le frecce ».

Di nuovo si udì una macchina in arrivo.

Il sergente disse: « Sarà il medico » e prese a scendere le scale.

Ma non era il medico. Quando Louise e la signora Cresswell scesero, un giovanotto varcò con qualche esitazione la soglia della porta di ingresso e si fermò, guardandosi attorno con aria piuttosto sbalordita.

Poi, parlando con una voce gradevole che a Louise parve in certo qual modo familiare (forse le ricordava quella della signorina Greenshaw?) chiese: « Scusate... ehm... la signorina Greenshaw abita qui? »

« Posso sapere come vi chiamate, prego? » disse il sergente, avanzando verso di lui.

« Fletcher » rispose il giovanotto. « Nat Fletcher. Sono il nipote della signorina Greenshaw, in effetti. »

« Davvero, signore?... be', mi dispiace... »

« È successo qualcosa? » chiese Nat Fletcher.

« C'è stato... un incidente. Vostra zia è stata uccisa con una freccia... penetrata nella vena giugulare... »

La signora Cresswell disse in tono isterico, senza la solita raffinatezza: « Vostra zia è stata ammazzata... ecco quello che è successo. Vostra zia è stata ammazzata ».

L'ispettore Welch avvicinò un po' di più la sedia al tavolo e lasciò vagare lo sguardo dall'una all'altra delle quattro persone nella stanza. Era la sera dello stesso giorno. Era venuto a casa West per riesaminare la dichiarazione di Louise Oxley.

« Siete sicura delle parole esatte? "*Colpita... lui mi ha colpita con una freccia... cercate aiuto*"? »

Louise annuì.

« E l'ora? »

« Ho guardato l'orologio uno o due minuti dopo... erano le dodici e venticinque... »

« Il vostro orologio è preciso? »

« Ho guardato anche il pendolo » rispose Louise e il tono della sua voce non lasciava dubbi circa la precisione della risposta.

L'ispettore si rivolse a Raymond West.

« Risulta che, circa una settimana fa, voi e un certo signor Bindler foste testimoni alla firma del testamento da parte della vittima. »

Concisamente Raymond raccontò gli avvenimenti di quella visita pomeridiana che lui e Horace Bindler avevano fatta alla Follia di Greenshaw.

« La vostra testimonianza può essere importante » dichiarò Welch. « La signorina Greenshaw vi ha detto chiaramente, vero, che il testamento era a favore della signora Cresswell, la governante, e che non intendeva pagare alla signora Cresswell alcuno stipendio, considerando che la signora Cresswell sapeva di ereditare tutto alla sua morte? »

« È quanto mi ha detto. »

« Direste che la signora Cresswell era decisamente consapevole di questi particolari? »

« Direi proprio di sì. La signorina Greenshaw ha accennato in mia presenza all'impossibilità per i beneficiari di un testamento di fungere da testimoni e la signora Cresswell ha chiaramente capito che cosa intendeva dire con ciò. Inoltre, la signora Greenshaw mi ha detto di aver stabilito quell'accordo con la signora Cresswell. »

« Dunque la signora Cresswell aveva motivi fondati per ritenersi interessata. Motivo abbastanza chiaro nel suo caso e direi che sarebbe la nostra indiziata principale, se non fosse per il fatto che è stata chiusa a chiave nella propria stanza come lo era la signora Oxley qui presente e anche considerato che la signorina Greenshaw ha chiaramente detto di essere stata colpita da un uomo. »

« Era decisamente stata chiusa a chiave nella propria stanza? »

« Oh, sì. L'ha fatta uscire il sergente Cayley. È una grossa serratura antiquata con una grossa chiave antiquata. La chiave era nella serratura e non ci sono possibilità che sia stata girata dall'interno o altri trucchetti simili. No, potete senz'altro credere che la signora Cresswell era chiusa a chiave in quella stanza e non aveva modo di uscire. E nella stanza non c'erano archi e frecce e la signorina Greenshaw non avrebbe in alcun caso potuto essere colpita da quella finestra... l'angolazione non lo consente. No, la signora Cresswell è fuori causa. »

Si interruppe, poi riprese: « Secondo voi, la signorina Greenshaw era un tipo faceto? »

Miss Marple alzò bruscamente il capo, dall'angolo ove era seduta.

« Dunque il testamento alla fin fine non era a favore della signora Cresswell? »

L'ispettore Welch la fissò piuttosto stupito.

« È una supposizione molto intelligente, signorina! » disse. « No, la signora Cresswell non è stata nominata beneficiaria. »

« Proprio come il signor Naysmith! » dichiarò Miss Marple, annuendo col capo. « La signorina Greenshaw ha detto alla signora Cresswell che le avrebbe lasciato tutto, così non le pagava lo stipendio, e poi ha lasciato il denaro a qualcun altro. Indubbiamente doveva essere molto soddisfatta di sé. Non c'è da stupirsi che ridacchiasse quando ha nascosto il testamento nel libro *Il Segreto di Lady Audley.* »

« Per fortuna, la signora Oxley ha potuto dirci

del testamento e di dove era stato messo » dichiarò l'ispettore. « Altrimenti avremmo dovuto cercarlo a lungo. »

« Un senso vittoriano dell'umorismo » mormorò Raymond West.

« Dunque, alla fin fine, ha lasciato i suoi soldi al nipote? » disse Louise.

L'ispettore scosse il capo.

« No, non li ha lasciati a Nat Fletcher. Da queste parti si racconta – naturalmente io sono nuovo del posto e mi arrivano solo pettegolezzi di seconda mano – che, a quanto pare, ai vecchi tempi entrambe, la signorina Greenshaw e sua sorella, erano innamorate del giovane maestro di equitazione e che fu la sorella a prenderselo. No, non ha lasciato i soldi al nipote... » l'ispettore Welch s'interruppe, sfregandosi il mento « li ha lasciati ad Alfred. »

« Alfred... il giardiniere? » Joan parlò in tono stupito.

« Sì, signora West, Alfred Pollock. »

« Ma perché? » esclamò Louise.

Miss Marple tossì e mormorò: « Immagino, anche se forse mi sbaglio, che ci siano stati... quelli che si potrebbero definire motivi di famiglia ».

« Potete chiamarli senz'altro così, in certo qual modo » si dichiarò d'accordo l'ispettore Welch. « A quanto risulta in paese tutti sanno che Thomas Pollock, il nonno di Alfred, fu uno dei frutti delle relazioni amorose del vecchio signor Greenshaw. »

« Ecco il motivo della rassomiglianza! » esclamò Louise.

Ricordò come, dopo essere passata vicino ad Alfred, fosse entrata in casa e avesse guardato il ritratto del vecchio Greenshaw.

« Probabilmente » disse Miss Marple « lei riteneva che Alfred Pollock potesse essere orgoglioso di questa casa, potesse persino volerci abitare, mentre suo nipote certamente non ne avrebbe fatto alcun uso e l'avrebbe venduta il più presto possibile. È un attore, no? In che commedia recita attualmente? »

L'ispettore Welch si disse che era proprio tipico delle vecchie signore divagare in quel modo, ma rispose compitamente: « Credo, signora, che stiano facendo una stagione di tutte le commedie di sir James Barrie ».

« Barrie » disse pensosamente Miss Marple.

« *Quello che tutte le donne sanno* » disse l'ispettore Welch, e arrossì. « È il titolo di una commedia » disse subito. « Io non vado molto spesso a teatro » aggiunse « ma è andata mia moglie a vederla la settimana scorsa. Mi ha detto che era data molto bene. »

« Barrie ha scritto alcune commedie davvero deliziose » ribatté Miss Marple « anche se devo dire che, quando andai con un mio vecchio amico, il generale Easterly, a vedere *La Piccola Mary* di Barrie » scosse la testa tristemente « non sapevamo più da che parte guardare. »

L'ispettore, che non conosceva la commedia *La Piccola Mary*, parve del tutto confuso.

Miss Marple spiegò: « Quando ero ragazza io, ispettore, non si citava nemmeno la parola "stomaco" ».

L'ispettore parve ancor più in alto mare di prima. Miss Marple stava mormorando titoli a bassissima voce.

« *L'ammirevole Crichton.* Molto ingegnoso. *Mary Rose*, una commedia affascinante. Ricordo di avere pianto. *Strada di lusso* non mi è garbata molto. Poi ci fu *Un bacio per Cenerentola.* Oh, certo! »

L'ispettore Welch non aveva tempo da perdere in discussioni sul teatro. Tornò al problema del momento.

« Il punto da chiarire » disse « è se Alfred Pollock sapeva che la vecchia signorina aveva fatto testamento in suo favore. Lei glielo aveva detto? » Soggiunse: « Vedete, c'è un Club degli Arcieri a Boreham e *Alfred Pollock ne è socio.* È abilissimo con arco e frecce ».

« Ma in tal caso non è tutto chiaro? » chiese Raymond West. « Si spiegherebbero le porte chiuse dall'esterno: lui sapeva esattamente dove erano le due donne. »

L'ispettore lo guardò. Parlò con profondo rincrescimento.

« Ha un alibi. »

« Secondo me gli alibi sono decisamente sospetti » osservò Raymond.

« Farse, signore » disse l'ispettore Welch. « Voi parlate come uno scrittore. »

« Non scrivo romanzi polizieschi » ribatté Raymond West, atterrito alla sola idea.

« È abbastanza facile dire che gli alibi sono sospetti » proseguì l'ispettore « ma, purtroppo, noi dobbiamo occuparci dei fatti. » Sospirò. « Abbiamo tre buoni indiziati. Tre persone che erano proprio sulla scena del delitto quando venne compiuto. Tuttavia è strano perché, a quanto risulta, nessuno dei tre era in grado di averlo fatto. Della governante ho già detto. Il nipote, nel momento in cui la signorina Greenshaw veniva colpita, era a cinque o sei chilometri di distanza, in un garage dove ha fatto rifornimento di benzina e ha chiesto la strada; quanto ad Alfred Pollock, sei persone sono pronte a giurare che è entrato al Dog and Duck alle dodici e venti e ci è rimasto per un'ora, consumando il suo solito panino al formaggio e birra. »

« Stabilendo deliberatamente un alibi » disse speranzoso Raymond.

« Forse » rispose l'ispettore Welch « ma in questo caso lo *ha effettivamente* stabilito. »

Seguì un lungo silenzio. Poi Raymond girò il capo verso il punto in cui Miss Marple stava seduta, eretta sulla poltrona, pensosa.

« Tocca a te, zia Jane » disse. « L'ispettore è sconcertato, il sergente è sconcertato, io sono sconcertato, Joan è sconcertata, Louise è sconcertata. Ma per te, zia Jane, è tutto di una chiarezza cristallina. Ho ragione? »

« Non direi questo » rispose Miss Marple « non di una chiarezza *cristallina*. E il delitto, caro Raymond, non è un gioco. Non penso che la povera signorina Greenshaw volesse morire ed è stato un delitto particolarmente brutale. Molto ben ideato e del tutto a sangue freddo. Non è cosa su cui *scherzare*. »

« Scusa » disse Raymond. « Non sono poi così cinico come posso sembrare. Si tratta un argomento alla leggera per fugarne... be'... diciamo l'orrore. »

« Questa, credo, sia la tendenza odierna » ribatté Miss Marple. « Tutte queste guerre e dover scherzare sui funerali! Sì, forse sono stata sconsiderata ad affermare che sei cinico. »

« Non è come se l'avessimo conosciuta molto bene » disse Joan.

« Questo è verissimo » rispose Miss Marple. « Sai, cara Joan, non la conoscevi affatto. Io non la conoscevo affatto. Raymond si è fatto un'idea di lei dopo una conversazione avuta in un pomeriggio. Louise la conosceva solo da due giorni. »

« Via, zia Jane » chiese Raymond « confidaci ciò che pensi. Vi spiace, ispettore? »

« Niente affatto » rispose l'ispettore con gentilezza.

« Bene, mio caro, a quanto pare abbiamo tre persone che avevano – o ritenevano di avere – un motivo per uccidere la vecchia signorina. E tre ragioni semplicissime per cui nessuna delle tre potrebbe averlo fatto. La governante non poteva uccidere la signorina Greenshaw perché era stata chiusa a chiave nella propria stanza e perché la sua padrona aveva chiaramente affermato di essere stata colpita da *un uomo*. Il giardiniere era al Dog and Duck in quel momento, il nipote al garage. »

« Spiegazione molto chiara, signora » disse l'ispettore.

« E poiché appare assai improbabile che lo potrebbe aver fatto un estraneo qualsiasi, a che punto siamo? »

« È quello che l'ispettore vuole sapere » disse Raymond West.

« Spesso si considera un problema da un punto di vista sbagliato » disse Miss Marple in tono di scusa; « se non siamo in grado di modificare i movimenti o la situazione di quelle tre persone non si potrebbe magari modificare l'ora del delitto? »

« Vuol dire che sia il mio orologio sia il pendolo non andavano bene? » chiese Louise.

« No, cara » rispose Miss Marple « non volevo affatto dire questo. Voglio dire che il delitto non è avvenuto quando tu hai pensato che fosse avvenuto. »

« Ma io ho visto! » esclamò Louise.

« Bene, quello che io mi sono chiesta, mia cara, è se non si sia *voluto* che tu vedessi. Mi sono chiesta, sai, se non sia stata questa la vera ragione per cui sei stata assunta per quel lavoro. »

« Che cosa intendi dire, zia Jane? »

« Be', cara, sembra strano. Alla signorina Greenshaw non piaceva spendere denaro, eppure ti ha assunta e ha accettato senza discussioni di sorta le condizioni che tu hai poste. Mi sembra che forse si voleva che tu fossi presente in quella biblioteca al primo piano a guardar fuori della finestra in modo da essere il teste chiave – qualcuno dall'esterno, del tutto irreprensibile come persona – per stabilire l'ora e il luogo del delitto. »

« Ma non vorrai dire» la interruppe incredula Louise « che la signorina Greenshaw *intendesse* essere assassinata. »

« Quello che voglio dire, cara » ribatté Miss Marple « è che tu in effetti non conoscevi la signorina Greenshaw. Non c'è ragione per cui, vero?, la signorina Greenshaw che tu hai vista quando ti sei recata a casa sua dovesse essere la stessa signorina Greenshaw che Raymond ha vista qualche giorno prima, vero? Oh, sì, lo so » proseguì per bloccare la risposta di Louise « indossava lo strano vecchio abito stampato e lo strano cappello di paglia e aveva i capelli spettinati. Corrispondeva esattamente alla descrizione che ce ne ha fatta Raymond lo scorso fine settimana. Ma quelle due donne, sai, avevano all'incirca la stessa età, la stessa altezza, la stessa taglia. Voglio dire la governante e la signorina Greenshaw. »

« Ma la governante è grassa! » affermò Louise. « Ha un seno enorme. »

Miss Marple tossì.

« Mia cara, ma certo, ultimamente ne ho visti io stessa esposti del tutto indelicatamente nelle vetrine. È facilissimo per chiunque avere un... un seno... di qualsiasi misura e dimensione. »

« Che cosa stai cercando di dire? » disse Raymond.

« Stavo proprio pensando che nei due giorni in cui Louise ha lavorato lì, una donna potrebbe aver recitato entrambe le parti. Tu stessa hai dichiarato, Louise, che non hai quasi mai visto la governante, a parte quel momento al mattino quando ti portava il vassoio col caffè. Ci sono abili attori sul palcoscenico che compaiono nelle vesti di personaggi diversi, con due o tre soli minuti di tempo per cambiarsi, e sono sicura che il cambiamento poteva essere effettuato molto facilmente. Quella acconciatura da nobildonna poteva semplicemente essere una parrucca messa e tolta. »

« Zia Jane! Vuoi dire che la signorina Greenshaw era morta prima che io cominciassi a lavorare lì? »

« Morta no. Direi che le venivano somministrati sonniferi. Un lavoro facilissimo per una donna priva di scrupoli come la governante. Poi ha preso accordi con te e ti ha fatto telefonare al nipote, per chiedergli di venire a pranzo a una ora stabilita. L'unica persona in grado di capire che quella signorina Greenshaw *non* era la vera signorina Greenshaw sarebbe stato Alfred. E, se tu ricordi, i primi due giorni in cui hai lavorato lì c'era umidità e la signorina Greenshaw è rimasta in casa. Alfred non entrava mai in casa a causa dei suoi contrasti con la governante. E l'ultima mattina Alfred era sul vialetto, mentre la signorina Greenshaw si occupava del giardino roccioso... mi piacerebbe dargli un'occhiata a quel giardino roccioso. »

« Vuoi dire che è stata la signora Cresswell a uccidere la signorina Greenshaw? »

« Credo che, dopo averti portato il caffè, la governante ti abbia chiuso a chiave in biblioteca quando è uscita dalla stanza, poi ha trasportato la signorina Greenshaw, priva di conoscenza, da basso nel soggiorno, quindi ha assunto il travestimento da "signorina Greenshaw" ed è uscita a occuparsi del giardino roccioso dove tu, dalla finestra soprastante, potevi vederla. A tempo debito ha urlato ed è andata barcollando verso la casa, stringendo nelle mani una freccia come se le fosse penetrata nel collo. Ha chiesto aiuto ed è stata attenta a dire: "Lui mi ha colpita", in modo da eliminare i sospetti sulla governante –

se stessa, cioè. Ha anche chiamato in direzione della finestra della governante come se l'avesse vista lì. Infine, una volta raggiunto il soggiorno, ha rovesciato il tavolino con il servizio di porcellana, è corsa di sopra in fretta, si è messa la parrucca da nobildonna riuscendo pochi attimi dopo a sporgere il capo fuori della finestra della sua stanza, per dirti che anche lei era chiusa a chiave. »

« Ma *era* chiusa a chiave » disse Louise.

« Lo so. È qui che entra in scena l'agente di polizia. »

« Quale agente di polizia? »

« Precisamente, quale agente di polizia? Mi chiedo, ispettore, se potreste dirmi come e quando siete arrivato voi in scena. »

L'ispettore pareva un po' sconcertato.

« Alle dodici e ventinove abbiamo ricevuto una telefonata dalla signora Cresswell, governante della signorina Greenshaw, in cui ci diceva che la sua padrona era stata colpita. Il sergente Cayley e io ci siamo subito recati sul posto in macchina e siamo arrivati alle dodici e trentacinque. Abbiamo trovato la signorina Greenshaw morta e le due signore chiuse a chiave nelle loro camere. »

« Quindi vedi, mia cara » disse Miss Marple a Louise « l'agente di polizia che hai visto *tu* non era affatto un vero agente di polizia. Non ti è più venuto in mente – a nessuno viene in mente – ci si limita ad accettare una divisa in più come parte della polizia. »

« Ma chi... perché? »

« Quanto a chi... be', se stanno recitando *Un*

bacio per Cenerentola, il protagonista è un agente di polizia. A Nat Fletcher sarebbe bastato prendere l'uniforme che indossa sul palcoscenico. Poi chiedere la strada al garage, badando ad attirare l'attenzione sull'orario, dodici e venticinque, proseguire velocemente, lasciare la macchina dietro un angolo, infilarsi la divisa e recitare la sua parte. »

« Ma perché? Perché? »

« *Qualcuno* doveva chiudere a chiave dall'esterno la porta della stanza della governante e qualcuno doveva infilzare la freccia in gola alla signorina Greenshaw. Si può colpire qualcuno con una freccia altrettanto bene anche senza tirarla da lontano, ma ci vuole forza. »

« Vuoi dire che erano entrambi complici? »

« Oh, sì, credo di sì. Madre e figlio, probabilmente. »

« Ma la sorella della signorina Greenshaw è morta tanto tempo fa. »

« Sì, ma sono certa che il signor Fletcher si è risposato... sembra proprio il tipo d'uomo che fa cose del genere. Ritengo possibile che sia morto anche il bambino e che questo cosiddetto nipote fosse figlio della seconda moglie e non un vero e proprio parente. La donna ha ottenuto il posto di governante e ha indagato segretamente sulla proprietà. Poi lui ha scritto alla signorina Greenshaw spacciandosi per suo nipote e le ha proposto di venirla a trovare – magari anche facendo qualche scherzoso riferimento alla visita che avrebbe fatto vestito in divisa da agente di polizia... ricordi? lei aveva detto di aspettare un agente di polizia. Ma io credo che la signorina

Greenshaw sospettasse la verità e abbia rifiutato di vederlo. Lui avrebbe ereditato tutto se lei fosse morta senza far testamento... ma naturalmente, non appena lei fece testamento a favore della governante, come loro due pensavano, il resto era tutto fatto. »

« Ma perché usare una freccia? » obiettò Joan. « Una cosa tanto assurda. »

« Niente affatto assurda, mia cara. Alfred era socio di un Club di Tiro all'Arco... Avrebbe dovuto essere incolpato Alfred. Il fatto che si trovasse al bar presto, alle dodici e venti, è stata una sfortuna dal loro punto di vista. Usciva sempre un po' prima del suo orario e la cosa sarebbe andata benissimo. » Scosse la testa. « Sembra davvero tutto sbagliato, dal punto di vista morale... intendo dire, cioè che Alfred sia stato salvato dalla propria pigrizia. »

L'ispettore si schiarì la gola.

« Bene, signora, questi suoi suggerimenti sono molto interessanti. Naturalmente, dovrò indagare... »

Miss Marple e Raymond West stavano vicino al giardino roccioso e guardavano un cesto da giardinaggio colmo di vegetazione appassita.

Miss Marple mormorò:

« Alisso, sassifraga, cistus, digitale... Sì, questa è la prova di cui ho bisogno. Chiunque stesse estirpando le erbacce qui ieri non se ne intendeva di giardinaggio... ha sradicato piante oltre che erbacce. Quindi ora *so* di aver ragione. Grazie, caro Raymond, di avermi accompagnata qui.

Ci tenevo moltissimo a vedere di persona il posto. »

Alzarono gli occhi entrambi sull'obbrobrioso ammasso che era la Follia di Greenshaw.

Un colpo di tosse li fece voltare. Un bel giovanotto stava a sua volta guardando la mostruosa costruzione.

« Una casa estremamente grande » disse. « Troppo grande per i giorni nostri, così si dice. Io non sono d'accordo. Se vincessi al totocalcio e guadagnassi un monte di soldi è il tipo di casa che mi piacerebbe costruire. »

Sorrise timidamente a tutte e due poi passò una mano tra i capelli.

« Penso di poterlo dire ora... questa casa è stata costruita dal mio bisnonno » proseguì Alfred Pollock. « Ed è una gran bella casa, anche se la chiamano la Follia di Greenshaw! »

Doppio indizio

« Ma soprattutto nessuna pubblicità » ripeté, forse per la quattordicesima volta, il signor Marcus Hardman.

La parola pubblicità era stata pronunciata durante tutto il colloquio con la regolarità di un *leitmotiv*. Il signor Hardman era un ometto piuttosto pingue, con le mani curatissime e una lagnosa voce tenorile. A modo suo, era quasi una celebrità: si può dire che la sua professione fosse quella di fare la vita mondana. Era ricco ma non, poi, tantissimo e spendeva assiduamente i suoi quattrini per divertirsi in mezzo all'alta società. Aveva l'hobby del collezionismo. E l'anima del collezionista. Antichi merletti, antichi ventagli, antichi gioielli: niente di smaccato o troppo moderno per Marcus Hardman.

Quando Poirot e io, rispondendo a una convocazione urgente, eravamo arrivati da lui, avevamo trovato l'ometto nelle tormentose spire dell'indecisione. Date le circostanze, si ribellava violentemente all'idea di chiamare la polizia. D'altra parte, non chiamarla sarebbe stato come adattarsi supinamente alla perdita di alcuni degli oggetti più belli della sua collezione. Aveva scelto Poirot come compromesso.

« I miei rubini, monsieur Poirot, e la collana di smeraldi... dicono che appartenesse a Caterina de' Medici. Oh, la collana di smeraldi! »

« Se voleste riferirmi le circostanze della loro sparizione » provò a suggerirgli con gentilezza Poirot.

« È quello che sto cercando di fare. Ieri nel pomeriggio ho invitato un po' di gente per il tè. Una riunione informale: saremo stati sei o sette non di più. Ho già dato uno o due tè di questo genere durante la stagione mondana e – anche se non toccherebbe a me dirlo – sono stati un vero successo. Un po' di buona musica: Nacora, il pianista e Katherine Bird, la contralto australiana, nel salone di musica. Be', un po' prima, all'inizio della riunione, avevo mostrato agli ospiti la mia collezione di gioielli medioevali. Li tengo in quella piccola cassaforte laggiù. È sistemata come una specie di scrigno, nell'interno: l'ho fatta foderare di velluto colorato perché le gemme vi risaltino meglio. Poi abbiamo esaminato i ventagli, in quella teca appesa alla parete. Infine siamo passati di là, per far musica. È stato solo quando tutti se ne sono andati via che ho scoperto la cassaforte svuotata del suo contenuto! Probabilmente non l'avevo richiusa bene e qualcuno ha colto quell'opportunità per saccheggiarla! I rubini, monsieur Poirot, la collana di smeraldi... una collezione che ho impiegato tutta la vita a mettere insieme! Cosa darei per ricuperarla! Ma non si deve fare nessuna pubblicità a quello che è successo! Mi capite, vero, monsieur Poirot? Si tratta dei miei ospiti, di amici personali! Sarebbe uno scandalo terribile! »

« Chi è stata l'ultima persona a lasciare questa camera quando siete passati nel salone di musica? »

« Il signor Johnston. Lo conoscete, forse? Il milionario sudafricano. Ha affittato recentemente la casa degli Abbotbury in Park Lane. Ricordo che è rimasto indietro per qualche minuto. Ma non può essere stato certamente lui! No, no! »

« Qualcuno dei vostri ospiti è forse tornato in questa camera durante il pomeriggio sotto un pretesto qualsiasi? »

« Ero preparato a sentirmi fare questa domanda, monsieur Poirot. Sì, tre degli invitati sono rientrati qui. La contessa Vera Rossakoff, il signor Bernard Parker e lady Runcorn. »

« Parlatemi un po' di loro. »

« La contessa Rossakoff è un'affascinante dama russa, che apparteneva all'*ancien régime*. È venuta a vivere qui da noi solo da poco tempo. Mi aveva già salutato e sono rimasto piuttosto sorpreso di ritrovarla poi in questo stesso locale, a fissare, apparentemente in estasi, la teca dei ventagli. Sapete cosa vi dico, monsieur Poirot? Che più ci penso, più questo particolare mi sembra sospetto! Non siete d'accordo con me? »

« Estremamente sospetto: ma sentiamo cosa hanno fatto gli altri. »

« Parker è venuto semplicemente a prendere una custodia in cui conservo certe miniature che volevo mostrare a lady Runcorn. »

« E lady Runcorn? »

« Come immagino che sappiate, lady Runcorn è una donna di mezza età, provvista di una considerevole forza di carattere, la quale dedica la maggior parte del suo tempo a varie opere benefiche. È tornata indietro solo per ricuperare la borsetta che aveva lasciato in qualche posto. »

« *Bien, monsieur.* Dunque abbiamo quattro possibili persone sospette. La contessa russa, *la grande dame* inglese, il milionario sudafricano e il signor Bernard Parker. Chi *è* il signor Parker, a proposito? »

La domanda imbarazzò considerevolmente il signor Hardman.

« È... ehm... un giovanotto. Be', ecco, è un giovanotto che conosco. »

« Questo, l'avevo già dedotto per conto mio » rispose Poirot in tono grave. « Ma cosa fa, questo signor Parker? »

« È un giovanotto elegante, fa la vita mondana. Forse non è proprio quel che si dice un tipo molto in vista, se così posso esprimermi! »

« E come ha fatto a diventare amico vostro? »

« Be'... in un paio di occasioni... ha svolto qualche piccolo incarico per me. »

« Continuate, monsieur » disse Poirot.

Hardman lo guardò con due occhi che chiedevano pietà. Evidentemente l'ultima cosa che desiderava era proprio continuare a parlare. Ma, dal momento che Poirot manteneva un silenzio inesorabile, si decise a capitolare.

« Vedete, *monsieur* Poirot, il fatto che mi interesso di gioielli antichi non è un mistero. Qualche volta capita di doversi disfare per necessità di un oggetto che fa parte dell'eredità di famiglia... qualcosa che, badate bene, nessuno vorrebbe mai vendere apertamente sul mercato e neppure, a un commerciante di preziosi. Ma una vendita fatta a me, in privato, è del tutto differente. Parker organizza l'affare nei minimi dettagli, si tiene in contatto con le due parti interessate e, in questo modo, si evita ogni situazione imbarazzante. Non solo, ma mi fornisce anche tutte le informazioni possibili in materia! Per esempio, la contessa Rossakoff ha portato dalla Russia qualche gioiello di famiglia. E ci terrebbe molto a venderli. Bernard Parker avrebbe dovuto occuparsi delle trattative di questo affare... »

« Capisco » disse Poirot pensieroso. « E avete piena fiducia del signor Parker? »

« Non ho motivo di pensare il contrario. »

« Fra queste quattro persone, chi sospettate? »

« Oh, monsieur Poirot, che domanda! Sono amici, per me, come vi ho già detto. Non sospetto nessuno di loro... oppure tutti, come preferite! »

« Non sono d'accordo. Voi sospettate una di queste quattro persone. Non si tratta della contessa Rossakoff. Non si tratta del signor Parker. Dunque, chi sarebbe? Lady Runcorn o il signor Johnston? »

« Mi mettete con le spalle al muro, monsieur Poirot, davvero! Sono molto ansioso di non far nascere uno scandalo. Lady Runcorn appartiene a una delle più antiche famiglie inglesi; è vero, però, è disgraziatamente vero che sua zia, lady Caroline, soffriva di una forma di malattia mentale molto triste. Naturalmente tutti gli amici ne erano al corrente e la sua cameriera si affrettava a restituire il più in fretta possibile i cucchiaini da tè o quel che altro era! Capite, quindi, la mia posizione! »

« Dunque lady Runcorn aveva una zia cleptomane. Molto interessante. Mi permettete di dare un'occhiata alla cassaforte? »

Mentre il signor Hardman assentiva, Poirot spalancò lo sportello della cassaforte e cominciò a osservarne attentamente l'interno. Ci trovammo di fronte a una serie di ripiani vuoti, foderati di velluto.

« Anche adesso, lo sportello non si chiude come dovrebbe » mormorò Poirot, mentre lo muoveva avanti e indietro. « Chissà perché! Ah, ecco, ho trovato! C'è un guanto impigliato nel cardine. Un guanto da uomo. »

E lo tese al signor Hardman.

« Non è mio! »

« Ah! Ma qui c'è qualcos'altro! » Poirot si chinò rapidamente e raccolse un piccolo oggetto dal piano più basso della cassaforte: si trattava di un portasigarette piatto, nero.

« Il mio portasigarette! » esclamò il signor Hardman.

« Il vostro portasigarette? Niente affatto, monsieur. Queste non sono le vostre iniziali! »

E gli indicò il monogramma, formato da due lettere intrecciate, in platino.

Hardman lo prese in mano.

« Avete ragione » ammise. « È molto simile al mio ma le iniziali sono diverse. Una *P* e una *B*. Santo cielo... Parker! »

« Già, si direbbe proprio così » disse Poirot. « Un giovanotto piuttosto distratto... specialmente se anche il guanto è suo. Il che significherebbe che abbiamo un doppio indizio, vero? »

« Bernard Parker! » mormorò Hardman. « Che sollievo! Bene, monsieur Poirot. Lascio a voi l'incarico di ricuperare i gioielli. Affidate pure la faccenda alla polizia se lo credete opportuno... cioè, se siete certo che il colpevole sia lui. »

« Vedete, amico mio » mi disse Poirot mentre lasciavamo insieme la casa del signor Hardman. « Costui si è fatto una legge per le persone titolate e un'altra per quelle che non lo sono. Quanto a me, non ho ancora ricevuto un titolo nobiliare e, quindi, mi schiero dalla parte di coloro che non ce l'hanno. Provo una certa simpatia per questo giovanotto. Tutta questa faccenda è abbastanza strana, non vi pare? Hardman sospetta lady Runcorn; io sospetto la contessa e Johnston; e invece il nostro uomo sarebbe questo sconosciutissimo signor Parker. »

« Perché sospettavate gli altri due? »

« *Parbleu*! È una cosa talmente semplice farsi passare per una profuga russa o un milionario sudafricano! Qualsiasi donna può dire di essere una contessa russa; qualsiasi uomo può affittare una casa in Park Lane e dichiarare di essere un milionario sudafricano. Chi volete che li contraddica? Adesso, però, mi accorgo che stiamo passando per Bury Street. Il nostro distrattissimo, giovane amico, abita qui. Proviamo a battere il ferro finché è caldo. »

Il signor Bernard Parker era in casa. Lo trovammo avvolto in una vestaglia dai vistosi colori, dove predominavano il rosso e l'arancione.

Mi è capitato di rado di provare tanta antipatia per qualcuno come per questo giovanotto dalla faccia pallida, l'aria effeminata, la pronuncia blesa, più per un vezzo che perché lo fosse in realtà.

« Buongiorno, monsieur » disse Poirot con tono vivace. « Vengo adesso da casa Hardman. Ieri, durante il ricevimento, qualcuno ha rubato al signor Hardman tutti i suoi gioielli. Permettetemi di farvi una domanda, monsieur. È vostro questo guanto? »

I processi mentali del signor Parker non sembravano molto rapidi. Fissò il guanto come se facesse un po' fatica a raccapezzarsi.

« Dove lo avete trovato? » domandò infine.

« È vostro, monsieur? »

Il signor Parker sembrò, a questo punto, disposto a parlare.

« No, non è mio » affermò.

« E questo portasigarette? »

« Assolutamente no. Ne ho uno d'argento che porto sempre con me. »

« Benissimo, monsieur. Affiderò alla polizia la soluzione di questo mistero. »

« Un momento! Calma! Se fossi in voi, non mi sognerei di fare una cosa del genere » esclamò il signor Parker manifestando un'evidente preoccupazione. « Gente maledettamente antipatica, quelli della polizia. Aspettate un momento. Vado a parlare con il vecchio Hardman. Ehi, aspettate un momento! »

Ma Poirot dimostrò, molto decisamente, che preferiva andarsene senza indugio.

« Gli abbiamo fornito argomento per qualche

meditazione utile, eh? » ridacchiò. « Domani staremo a vedere cosa è successo. »

Invece eravamo destinati ad occuparci del caso Hardman quello stesso pomeriggio. La porta di casa nostra si spalancò senza il minimo preavviso e un ciclone in forma umana invase la nostra intimità portando con sé un vortice di zibellino (faceva freddo come solo in Gran Bretagna può far freddo in una giornata di giugno) e un cappello letteralmente ricoperto delle piume ottenute dopo un vero e proprio massacro di struzzi. La contessa Vera Rossakoff aveva una personalità alquanto esuberante ed estroversa.

« Siete monsieur Poirot? Lo sapete quel che avete fatto? Avete accusato quel povero ragazzo! Una cosa infame. Scandalosa. Lo conosco. È un pulcino. Non sarebbe mai capace di rubare! Ha fatto tutto il possibile per me! E adesso dovrei star qui a guardarlo martirizzare e torturare senza muovere un dito? »

« Ditemi, madame, questo portasigarette appartiene al signor Parker? » E Poirot le mostrò l'astuccio nero.

La contessa tacque un momento, intanto che lo esaminava con attenzione.

« Sì, è suo. Lo riconosco. E con ciò? L'avete trovato in quella stanza? Ci sono stati tutti e suppongo che gli sia caduto senza che se ne accorgesse. Ah, voi poliziotti... Siete peggio delle Guardie Rosse... »

« E questo guanto? Sarebbe del signor Parker anche questo? »

« Come faccio a saperlo? I guanti si assomigliano tutti. Non cercate di impedirmelo... voglio fare qualcosa... quel ragazzo dev'essere rimesso in libertà. La sua posizione deve essere chiarita. Sarete obbligato a farlo! Venderò i miei gioielli e vi darò molto denaro. »

« Madame... »

« Siamo d'accordo, allora? No, no, non discutete. Quel povero figliolo! È venuto da me con le lacrime agli occhi! "Ti salverò", gli ho detto. "Andrò da quest'uomo... quest'orco... questo mostro! Lascia fare a Vera." Adesso tutto è sistemato e me ne vado. »

Senza tante cerimonie, con la stessa disinvoltura con cui era entrata, uscì turbinosamente, lasciando nella stanza una scia di intenso profumo esotico.

« Che donna! » esclamai. « E che pelliccie! »

« Ah, sì, quelle dovevano essere vere sul serio. È possibile che una falsa contessa porti pellicce autentiche? Via, Hastings, questa è una mia piccola battuta di spirito... No, credo proprio che sia russa. Ah, dunque, così il signorino Parker è andato a lamentarsi con lei! »

« Il portasigarette è suo. Mi chiedo se anche il guanto... »

Con un sorriso Poirot tirò fuori di tasca un secondo guanto e lo andò a posare vicino all'altro. Non c'erano dubbi: facevano parte dello stesso paio.

« Dove siete andato a prendere il secondo, Poirot? »

« Era abbandonato sul tavolo dell'anticamera, insieme a un bastone da passeggio, in Bury Street. Sì, bisogna proprio ammettere che il signor Parker è un giovanotto disordinato. Bene, bene, *mon ami*. Dobbiamo tirare le somme. Tanto per salvare le apparenze, farò una visitina in Park Lane. »

Inutile dire che accompagnai il mio amico. Johnston era fuori ma potemmo parlare con il suo segretario. Così, si venne a sapere che Johnston era arrivato solo di recente dal Sudafrica, e non era mai stato in Inghilterra, prima d'ora.

« Si interessa di pietre preziose, eh? » azzardò Poirot.

« Forse sarebbe più giusto parlare di miniere d'oro » rise il segretario.

Poirot venne via da questo colloquio molto pensieroso. Qualche ora più tardi, quella stessa sera, lo trovai intento a studiare una grammatica russa.

« Santo cielo, Poirot! » esclamai. « State imparando il russo per poter conversare con la contessa nella sua lingua natia? »

« Certo che quella signora non sembra affatto disposta a prestar orecchio all'inglese che parlo io, caro amico! »

« Via, Poirot, i russi di nobile stirpe non parlano, invariabilmente, un ottimo francese? »

« Siete una miniera di informazioni, Hastings! Sì, ecco, smetterò subito di occuparmi delle complicazioni dell'alfabeto russo. »

E buttò da una parte il libro con un gesto drammatico. Ma non ero soddisfatto. Nei suoi occhi avevo visto un certo scintillio particolare che conoscevo anche troppo bene! Un segno che Poirot era contento di sé!

« Forse » dissi con aria saccente « sospettate

che non sia veramente russa. E così, volete metterla alla prova? »

« Oh, no, è proprio russa: su questo non ci sono dubbi. »

« E allora... »

« Se volete davvero farvi una buona reputazione di detective con il caso del signor Hardman, Hastings, non posso che raccomandarvi "I primi elementi della lingua russa", un sussidio di valore inestimabile. »

Poi scoppiò a ridere e non volle aggiungere altro. Andai a raccogliere il libro dal pavimento e cominciai a osservarlo con grande curiosità. Tuttavia non riuscii a capire a cosa volesse alludere Poirot con quel consiglio.

La mattina successiva non ci arrivò nessuna notizia relativa al furto dei gioielli ma non mi sembrò che questo fatto preoccupasse il mio amico. A colazione mi annunciò che voleva andare a far visita al signor Hardman al più presto. Trovammo ancora in casa l'anziano e mondanissimo piccolo uomo, il quale ci sembrò un poco più calmo del giorno precedente.

« E allora, monsieur Poirot, ci sono notizie? »

Poirot gli tese un foglio di carta.

« Questa è la persona che ha trafugato i gioielli, monsieur. Devo rimettere il caso nelle mani della polizia? Oppure preferite ricuperare le vostre pietre preziose senza che la polizia ficchi il naso in questa storia? »

Il signor Hardman stava fissando il foglietto. Dopo un po', riuscì a ritrovare un filo di voce.

« Incredibile! Straordinario. Preferirei senza altro che non nascesse uno scandalo. Vi do *carte blanche*, monsieur Poirot. Sono certo della vostra discrezione. »

Il passo successivo di Poirot fu quello di chiamare un tassì e di ordinare all'autista di condurci al Carlton. Quando ci arrivammo, chiese di parlare con la contessa Rossakoff. Pochi minuti dopo ci fecero entrare nell'appartamento che la dama russa occupava. Lei ci venne incontro a mani tese, avvolta in un magnifico *negligée* di uno strano tessuto a disegni barbarici.

« Monsieur Poirot! » esclamò. « Ci siete riuscito? Avete potuto chiarire la posizione di quel povero ragazzo? »

« *Madame la comtesse*, il vostro amico, il signor Parker non corre assolutamente alcun rischio di essere arrestato. »

« Oh, siete davvero un uomo intelligente, voi! Magnifico! E come avete fatto in fretta, oltre a tutto! »

« D'altra parte, avevo promesso al signor Hardman che i gioielli gli sarebbero stati restituiti oggi stesso. »

« E allora? »

« Di conseguenza, madame, vi sarei estremamente obbligato se voleste consegnarmeli senza indugio. Sono davvero spiacente di dovervi fare tanta fretta ma ho un tassì giù alla porta dell'albergo... nel caso fossi costretto a recarmi a Scotland Yard: e noi, belgi, madame, abbiamo un carattere molto parsimonioso! »

La contessa aveva acceso una sigaretta. Per qualche secondo rimase seduta dove si trovava, perfettamente immobile, soffiando dalle narici il fumo che si alzava in sottili volute nell'aria, e fissando senza batter ciglio, Poirot. Infine scoppiò in una risata e si alzò. Si avvicinò a uno scrittoio, aprì un cassetto e ne tirò fuori una borsa di seta nera che lanciò, con un gesto elegante, a Poirot. Il suo tono, quando ci rivolse la parola, era garbato, frivolo e privo di qualsiasi emozione.

« Noi russi, al contrario, siamo prodighi » disse. « E per praticare la prodigalità, disgraziatamente, ci vuole denaro. Non occorre che guardiate nella borsa. Ci sono tutti. »

Poirot si alzò in piedi.

« Mi congratulo con voi, madame, per la vostra intelligenza e prontezza. »

« Ah! Cos'altro potevo fare, dal momento che avete il tassì alla porta? »

« Siete troppo gentile. Rimarrete a lungo a Londra? »

« Temo di no... per colpa vostra. »

« Accettate le mie scuse. »

« Forse ci incontreremo ancora... chissà. »

« Me lo auguro. »

« Io... no! » esclamò la contessa con una risata. « È un gran complimento che vi faccio, dicendo questo... ci sono pochi uomini al mondo di cui io abbia paura. Addio. »

« Addio, *madame la comtesse*. Ah, scusate... dimenticavo! Permettetemi di restituirvi il portasigarette. »

Con un inchino, le porse il piccolo astuccio nero che avevamo trovato nella cassaforte. Lei lo prese senza mutare affatto la sua espressione... si limitò solo ad alzare leggermente un sopracciglio e a mormorare: « Capisco! ».

« Che donna! » esclamò Poirot, in tono pieno di entusiasmo, mentre scendevamo le scale. « *Mon Dieu, quelle femme*! Non una parola di protesta, non un tentativo di *bluff*! Una rapida occhiata e ha saputo misurare in pieno la sua posizione. Ascoltate quel che vi dico, Hastings: una donna che sa accettare la sconfitta a questo modo... con un sorriso così noncurante... farà molta strada! È pericolosa, ha nervi di acciaio, è... » inciampò, rischiando di cadere.

« Se provaste a moderare un po' il vostro entusiasmo e a guardare dove mettete i piedi, forse sarebbe meglio » provai a suggerirgli. « Quando avete cominciato a sospettarla? »

« *Mon ami*, è stato il guanto *con* il portasigarette.. il doppio indizio, vogliamo chiamarlo così?... che mi ha lasciato perplesso. Bernard Parker poteva aver lasciato cadere facilmente, e senza accorgersene, o l'uno o l'altro dei due oggetti, ma era un po' curioso che li avesse perduti tutti e due! Ah, no, sarebbe stato *un po' troppo*! Al tempo stesso, se qualcuno fosse andato a piazzarli nella cassaforte per incriminare Parker, uno solo poteva essere più che sufficiente... o il portasigarette o il guanto... non tutti e due, lo ripeto ancora una volta! Così, sono stato costretto a concludere che uno di quei due oggetti *non* apparteneva a Parker. In principio ho immaginato che fosse suo il portasigarette, e il guanto, no. Ma quando ho scoperto l'altro guanto dello stesso paio, ho capito che si trattava del contrario. E allora, di chi era quel portasigarette? Non poteva certo appartenere a lady Runcorn, questo era evidente! Le iniziali non corrispondevano. Il signor Johnston? Poteva essere suo, soltanto nel caso che si fosse presentato qui da noi sotto falso nome. Dopo aver parlato con il suo segretario, mi è stato subito chiaro che si trattava di una persona al di sopra di ogni sospetto. Non avevo notato nessuna reticenza da parte sua quando abbiamo accennato al passato del signor Johnston. La contessa, allora? A quanto avevo sentito dire, pareva che avesse portato con sé dalla Russia qualche gioiello: le sarebbe bastato togliere le pietre preziose dalle montature e non so se, in seguito, sarebbe stato possibile identificarle. Cosa c'era di più facile che prendere uno dei guanti lasciati in anticamera da Parker e metterlo nella cassaforte? Ma, *bien sûr*, non aveva certo intenzione di lasciarci cadere anche il proprio portasigarette! »

« Se l'astuccio era suo, perché c'erano sopra le iniziali *B.P.*? Quelle della contessa sono *V.R.* »

Poirot mi rivolse un angelico sorriso.

« Infatti, *mon ami*; ma nell'alfabeto russo, *V* si scrive *B*, mentre *R* si scrive *P.* »

« Accidenti! non potevate certo aspettarvi che lo indovinassi! Non so il russo, io! »

« Neanch'io l'ho mai saputo, Hastings. Ecco perché ho comperato quella grammatica e ho richiamato la vostra attenzione sui rudimenti di quella lingua. »

Sospirò. « Una donna straordinaria. Ho la sensazione, amico mio... una sensazione molto precisa... che la incontrerò di nuovo. Ma chissà dove? »

L'ultima séance

Raoul Daubreuil attraversò la Senna canticchiando tra sé un motivetto. Era un giovanotto di aspetto piacente, francese, sui trentadue anni, con il colorito fresco e un paio di baffetti neri. Ingegnere, di professione. Dopo aver percorso un tratto di strada, raggiunse il Cardonet e infilò la porta del n. 17. La portinaia mise fuori la testa dal suo sgabuzzino e gli buttò un « Buongiorno » privo di cordialità al quale lui rispose in tono gioviale e allegro. Poi salì le scale fino all'appartamento del terzo piano. Mentre aspettava che gli venissero ad aprire, dopo aver suonato il campanello, canticchiò ancora una volta quel motivetto. Raoul Daubreuil si sentiva particolarmente di buon umore quella mattina. La porta venne spalancata da un'anziana francese, la cui faccia rugosa si allargò in un sorriso non appena vide chi era il visitatore.

« Buongiorno, monsieur ».

« Buongiorno, Elise » disse Raoul.

Passò in anticamera, togliendosi i guanti.

« Madame mi aspetta, vero? » domandò girando appena la testa verso la donna anziana.

« Sì, certamente, monsieur. »

Elise chiuse la porta dell'appartamento e si voltò verso di lui.

« Se monsieur vuole passare nel piccolo *salon*, madame lo raggiungerà fra pochi minuti. Al momento, riposa. »

Raoul alzò la testa di scatto e la guardò: « Non sta bene? ».

« Bene! »

Elise sbuffò. Passò davanti a Raoul e gli aprì la porta del piccolo *salon*. Il giovanotto entrò, e la donna lo seguì.

« Bene! » ripeté. « Come può star bene, poverina? *Séances, séances* e ancora *séances*! Non è naturale... non è quello che il buon Dio intendeva per noi. Per me, lo dico chiaro e tondo, è come trafficare con il demonio. »

Raoul le batté la mano sulla spalla con un gesto rassicurante.

« Via, via, Elise » disse in tono suadente « non agitatevi, e non siate troppo pronta a vedere il diavolo in tutto ciò che non comprendete. »

Elise scosse la testa con aria dubbiosa.

« Ah, bene » borbottò sottovoce. « Monsieur può dire quello che vuole ma a me non piace. Guardate un po' madame: ogni giorno diventa più pallida e magra, e poi... i mal di testa di cui soffre sempre! »

Alzò le mani. « Ah, no, non è bene, tutta questa storia degli spiriti. Figuriamoci! Spiriti! Tutti gli spiriti buoni sono in paradiso e gli altri in purgatorio. »

« La vostra concezione della vita oltre la morte è semplice in un modo addirittura commovente, Elise » disse Raoul mentre si lasciava cadere su una sedia.

La vecchia si raddrizzò sulla persona. « Io sono una buona cattolica, monsieur. »

Si fece il segno della croce e si avviò alla porta; ma si fermò con la mano appoggiata alla maniglia.

« Dopo che sarete sposati, monsieur » disse in tono di supplica « non continuerà... tutto questo? »

Raoul le sorrise con affetto.

« Siete una buona creatura fedele, Elise » disse « e volete bene alla vostra padrona. Non abbiate timore; una volta che sarà diventata mia moglie, tutta questa storia degli spiriti come la chiamate, cesserà. Per madame Daubreuil non ci saranno più *séances.* »

La faccia di Elise fu illuminata da un sorriso.

« Dite proprio la verità? » domandò vivacemente.

L'altro annuì con aria grave.

« Sì » disse, quasi parlando più a se stesso che a lei. « Sì, tutto questo deve finire. Simone ha un dono meraviglioso e l'ha usato abbondantemente, ma adesso ha fatto la sua parte. Come avete osservato giustamente, Elise, la vostra padrona è la medium più prodigiosa di Parigi... anzi, della Francia intera. Da ogni parte del mondo la gente viene da lei perché sa che, con madame, non c'è trucco, non c'è inganno. »

Elise proruppe in una specie di grugnito sprezzante.

« Inganno! Ah, no davvero! Madame non saprebbe ingannare neanche un bambino appena nato, anche se ci provasse! »

« È un angelo » disse il giovanotto con fervore. « E io... io farò tutto ciò che un uomo può fare per renderla felice. Ci credete, a ciò che vi dico? »

Elise, raddrizzando le spalle, tutta impettita, parlò con un tono semplice che non mancava di una sua dignità.

« Ho servito madame per molti anni, monsieur. Con tutto il rispetto, posso dire di volerle bene. Se non fossi convinta che l'adorate come lei merita di essere adorata... *eh, bien*, monsieur! Sarei pronta a sbranarvi! »

Raoul scoppiò a ridere. « Brava, Elise! Siete una amica fedele, e dovete concedermi la vostra approvazione ora che vi ho detto che madame rinuncerà agli spiriti. »

Si aspettava che la vecchia accogliesse questa battuta cortese con una risata ma, con un certo stupore, notò che restava seria.

« E supponendo, monsieur » disse con un po' di esitazione, « che siano gli spiriti a non voler rinunciare a lei? »

Raoul la fissò con gli occhi sbarrati. « Eh? Cosa volete dire? »

« Ho detto » ripeté Elise, « supponete che siano gli spiriti a non voler rinunciare a lei? »

« Mi pareva di aver capito che voi, Elise, agli spiriti non ci credete! »

« Infatti è proprio così » ribatté Elise cocciutamente. « È una stupidaggine crederci. Eppure... »

« Ebbene? »

« Per me è difficile spiegarlo, monsieur. Vedete, io ho sempre pensato che queste medium, come si fanno chiamare, fossero soltanto delle furbe imbroglione che si approfittavano di quella povera gente che aveva perduto le persone care. Invece madame non è così. Madame è buona. Madame è onesta, e... »

Abbassò la voce, mettendosi a parlare con un tono pieno di timoroso rispetto.

« Succedono certe cose. Non sono trucchi, succedono certe cose, ed è per questo che ho paura. Perché sono sicura che questo non è giusto, monsieur. È contro natura e *le bon Dieu*, e qualcuno dovrà pagare. »

Raoul si alzò dalla sedia, le si avvicinò e le diede un colpetto affettuoso di incoraggiamento sulla spalla.

« Calmatevi, mia buona Elise » disse con un sorriso. « Vedete, ho una buona notizia da darvi. Oggi ci sarà l'ultima di queste *séances*; in futuro non ce ne saranno più. »

« Dunque, oggi ce ne sarà una? » domandò la vecchia in tono sospettoso.

« L'ultima, Elise, l'ultima. »

Elise scosse la testa, sconsolata: « Madame non è in condizioni... » cominciò.

Ma le sue parole vennero interrotte, la porta si aprì ed entrò una donna alta e bionda. Era slanciata, piena di grazia nei movimenti, aveva il volto di una madonna botticelliana. La faccia di Raoul si illuminò ed Elise si ritirò immediatamente, piena di discrezione.

« Simone! »

Prese fra le proprie le lunghe mani bianche di lei, e le baciò – prima una, poi l'altra. Lei mormorò il nome del giovanotto a fior di labbra.

« Raoul, mio carissimo. »

Di nuovo, lui le baciò le mani e poi la guardò attentamente in volto.

« Simone, come sei pallida! Elise mi ha detto che stavi riposando; non sei malata vero, tesoro mio? »

« No, non malata... » ebbe una breve esitazione.

Lui la condusse verso il divano e si mise a sedere di fianco a lei.

« Ma, allora, dimmi. »

La medium sorrise debolmente. « Penserai che sono una sciocca » mormorò.

« Io? Pensare che sei una sciocca? Mai. »

Simone ritirò le mani da quelle di lui che le stringevano. Rimase immobile per un attimo, con gli occhi bassi, a fissare il tappeto. Poi parlò con voce sommessa, affrettata.

« Ho paura, Raoul. »

Lui aspettò per un momento che Simone continuasse, ma quando si accorse che non proseguiva, disse in tono incoraggiante:

« Sì, hai paura di che? »

« Ho paura... semplicemente. Nient'altro. »

« Ma... »

La osservò perplesso, e lei rispose subito a quell'occhiata.

« Sì, è assurdo, vero? Eppure è proprio questa la sensazione che provo. Ho paura, nient'altro. Non so di che cosa, o perché, ma sono continuamente dominata dall'idea che... stia per accadermi qualcosa di terribile... di terribile. »

Fissò il vuoto davanti a sé. Raoul le circondò dolcemente le spalle con un braccio.

« Carissima » disse « su, andiamo! Non devi cedere a un'impressione. So benissimo di che si tratta, Simone: è la tensione della vita di una medium. Tutto quello che ti occorre è il riposo... riposo e quiete. »

Lei lo guardò piena di gratitudine. « Sì, Raoul, hai ragione. Ciò di cui ho bisogno è il riposo – riposo e quiete. »

Chiuse gli occhi e si lasciò andare un po' indietro, appoggiandosi al braccio di lui.

« E felicità » le mormorò Raoul all'orecchio.

Il braccio del giovanotto aumentò la sua stretta. Simone che aveva sempre gli occhi chiusi, sospirò profondamente.

« Sì » mormorò, « sì. Quando mi stringi fra le braccia, mi sento al sicuro. Dimentico la mia vita... la vita terribile... di una medium. Tu sai molto, Raoul, ma perfino tu non sai tutto ciò che significa. »

Il giovanotto sentì, di nuovo, che il corpo della giovane donna si irrigidiva fra le sue braccia. Poi Simone spalancò di nuovo gli occhi, fissando il vuoto davanti a sé.

« Si sta seduti in quella specie di alcova nell'oscurità, ad aspettare... e l'oscurità è terribile, Raoul, perché è l'oscurità del vuoto, del nulla. E ci si abbandona deliberatamente a quell'oscurità, per sentirsi perduti in essa. Dopo, non si sa più nulla, non si sente più nulla, ma finalmente... ecco il lento e penoso ritorno, il risveglio dal sonno, ma si è così stanchi... così terribilmente stanchi! »

« Lo so » mormorò Raoul. « Lo so. »

« Così stanca... » mormorò di nuovo Simone. E mentre ripeteva quelle parole, diede l'impressione di accasciarsi su se stessa.

« Però tu sei prodigiosa, Simone. »

Le prese le mani, gliele strinse, cercando di scuoterla e di farle condividere il proprio entusiasmo.

« Sei unica... la più grande medium che il mondo abbia mai conosciuto. »

Lei scosse la testa, sorridendo lievemente a quelle parole.

« Sì, sì » insistette Raoul.

Tirò fuori di tasca due lettere.

« Guarda, questa è del professor Roche della Salpetrière, e questa del dottor Genir di Nancy, i quali ti implorano di continuare a fare le sedute per loro, saltuariamente. »

« Ah, no! »

Simone si alzò di scatto.

« No, e poi no. Deve finire tutto ciò... deve smettere. Me lo hai promesso, Raoul. »

Raoul la fissò sbalordito, mentre lei lo guardava, in piedi, vacillante, quasi come una creatura che sa di non aver più scampo. Anche lui si alzò e le prese la mano.

« Sì, sì » disse. « Certo che è finita, questo era il nostro accordo. Ma sono talmente orgoglioso di te, Simone! È per questo che ho menzionato le due lettere. »

Simone gli lanciò un rapido sguardo di sottecchi, pieno di sospetto.

« Non sarà perché, in futuro, vorrai che io accetti di fare qualche altra *séance*? »

« No, no » disse Raoul « a meno, forse, che tu stessa non lo desideri, così, di quando in quando, per questi vecchi amici... »

Ma lei lo interruppe, mettendosi a parlare con agitazione. « No, no, mai più. C'è pericolo. Ti dico che lo sento, un grande pericolo. »

Si prese le mani, se le portò, strette, alla fronte, poi andò alla finestra.

« Promettimi che non le farò mai più » disse con voce più calma, girando appena la testa sulla spalla, verso di lui.

Raoul la seguì e le mise le mani intorno alle spalle.

« Mio tesoro » disse con tenerezza « ti prometto che, dopo oggi, non farai più neanche una *séance*. »

Sentì che trasaliva improvvisamente.

« Oggi » mormorò lei. « Ah, sì... avevo dimenticato madame Exe. »

Raoul guardò l'orologio. « Ormai sarà qui da un momento all'altro; ma, forse, Simone, se non ti senti bene... »

Ma sembrava che Simone quasi non lo ascoltasse: stava seguendo il filo dei propri pensieri.

« È... una strana donna, Raoul, molto strana. Sai che... mi fa quasi orrore. »

« Simone! »

C'era un'intonazione di rimprovero nella sua voce, e lei la colse subito.

« Sì, sì, lo so. Sei come tutti i francesi, Raoul. Per te, una madre è sacra ed è poco gentile da parte mia manifestare questa impressione quando è così addolorata per la sua creatura perduta. Ma... non te lo so spiegare... è così grossa e nera, e le sue mani... hai mai notato le sue mani, Raoul? Mani grandi, grosse, forti, quasi come quelle di un uomo. Ah! »

Rabbrividì leggermente e chiuse gli occhi. Raoul ritirò il braccio e parlò quasi con freddezza.

« Non riesco proprio a capirti, Simone. Eppure, tu come donna, non dovresti provare altro che simpatia e comprensione per un'altra donna, una madre orbata della sua unica figlia! »

Simone fece un gesto di impazienza. « Ah, sei tu che non capisci, amico mio! Sono cose contro le quali non si può far nulla. Appena l'ho vista, ho provato... »

Allargò un braccio. « Paura! Ricordi che c'è voluto molto tempo prima che acconsentissi a fare una seduta spiritica per lei? Sentivo con sicurezza, chissà come, che mi avrebbe portato sfortuna. »

Raoul si strinse nelle spalle. « Mentre, in effetti, ti ha portato esattamente l'opposto » disse asciutto. « Tutte le sedute sono state coronate dal più ampio successo. Lo spirito della piccola Amelie è riuscito a prendere il controllo su di te subito e le materializzazioni sono state straordinarie. Il professor Roche avrebbe proprio dovuto essere presente a quest'ultima! »

« Materializzazioni » disse Simone con voce sommessa. « Dimmi un po, Raoul, (tu sai che io non mi rendo conto di niente di quello che succede mentre sono in trance), queste materializzazioni sono davvero tanto sorprendenti? »

Lui annuì con entusiasmo. « Alle prime sedute, la figura della bambina era visibile in una specie di foschia nebulosa » spiegò « ma all'ultima *séance*... »

« Sì? »

Lui parlò a voce molto bassa. « Simone, la bambina che è apparsa era una creatura viva, reale, di carne e ossa. L'ho perfino toccata... ma accorgendomi che quel lieve tocco era terribilmente doloroso per te, non ho permesso a madame Exe di fare lo stesso. Temevo che il suo auto-controllo potesse cedere e che, come conseguenza, tu ne avessi a soffrire. »

Simone tornò a voltarsi verso la finestra.

« Ero paurosamente esausta quando mi sono svegliata » mormorò. « Raoul, sei sicuro... sei proprio sicuro che tutto ciò sia giusto? Lo sai cosa pensa quella cara Elise? La brava vecchietta è convinta che siano traffici con il demonio, i miei! »

« Tu sai quali siano le mie convinzioni » disse Raoul in tono grave. « Quando si ha a che fare con l'Ignoto, c'è sempre del pericolo, ma la causa è nobile, perché si tratta della causa della Scienza. In tutto il mondo ci sono sempre stati i martiri della Scienza, i pionieri che hanno pagato un duro prezzo perché gli altri potessero continuare, senza pericolo, sulla strada aperta da loro. Sono dieci anni, ormai, che tu lavori per la Scienza al costo di una tremenda tensione nervosa. Adesso la tua parte è fatta; da oggi in poi sarai libera di essere felice. »

Lei gli rivolse un sorriso colmo di affetto, riacquistata la calma. Poi lanciò una rapida occhiata all'orologio.

« Madame Exe è in ritardo » mormorò. « Può darsi che non venga. »

« Credo che verrà, invece » disse Raoul « Il tuo orologio è un po' avanti, Simone. »

Simone si mise a girellare per la stanza, riaggiustando un gingillo qui, un oggettino là.

« Mi chiedo chi sia, questa madame Exe? » osservò. « Da dove viene? Qual è la sua famiglia? È curioso, non sappiamo niente di lei! »

Raoul alzò le spalle. « La maggior parte della gente resta in incognito, se appena è possibile, quando va da una medium » le fece osservare. « È una precauzione elementare. »

« Già, suppongo che sia così » ammise Simone, distrattamente.

Un vasetto di porcellana che stringeva fra le dita, le scivolò e andò a rompersi in mille pezzi sulle mattonelle del caminetto. La giovane donna si voltò di scatto verso Raoul.

« Vedi » mormorò, « non sono me stessa. Raoul, mi giudicheresti molto... molto vile se dicessi a madame Exe che non mi sento di fare la seduta, quest'oggi? »

Lo sguardo di lui, carico di doloroso stupore, la fece arrossire.

« Hai promesso, Simone... » cominciò con dolcezza.

Lei indietreggiò fino al muro. « Non voglio fare la *séance*, Raoul. Non voglio. »

Di nuovo, quell'occhiata di lui, piena di un tenero rimprovero, la fece fremere.

« Non è al denaro che penso, Simone, per

quanto devi pur renderti conto come sia enorme la somma di denaro che questa donna ti ha offerto per l'ultima seduta... semplicemente enorme. »

Lei lo interruppe in tono di sfida. « Ci sono cose che importano più del denaro. »

« Certamente » confermò subito lui, con calore. « È proprio quello che stavo dicendo. Pensaci un momento... questa donna è una madre, una madre che ha perduto la sua unica figlioletta. Se non ti senti proprio male sul serio, se non è altro che un capriccio da parte tua... puoi negare a una donna ricca un capriccio, ma non puoi negare a una madre l'ultima visione della sua bambina, non ti sembra? »

La medium allargò le mani davanti a sé, in un gesto di disperazione.

« Oh, mi stai torturando » mormorò. « Comunque, hai ragione. Farò come vuoi, ma adesso ho capito di che cosa ho paura... è di questa parola: madre, che ho paura. »

« Simone! »

« Esistono certe forze elementari, primitive, Raoul. In gran parte sono state distrutte dalla civiltà, ma la maternità si trova ancora allo stesso punto, nella stessa posizione in cui era al principio. Gli animali... gli esseri umani... sono tutti uguali. L'amore di una madre per la sua creatura non ha niente di simile al mondo! Non conosce leggi, non conosce pietà, ha l'ardire di compiere qualsiasi cosa e di schiacciare senza rimorso tutto ciò che trova sul proprio cammino. »

Tacque un po' ansante, poi si voltò a guardarlo con un sorriso pronto, disarmante.

« Sono sciocca oggi, Raoul. Lo capisco. »

Lui le prese la mano. « Prova ad andare a distenderti sul letto per pochi minuti » insistette. « Va' a riposarti finché non arriva. »

« Benissimo! » Gli sorrise e uscì dalla stanza. Raoul rimase assorto nei propri pensieri per un minuto o due, infine andò alla porta, la aprì ed attraversò la piccola anticamera. Entrò in un locale che si trovava sull'altro lato di questa, un salotto molto simile a quello che aveva appena lasciato ma dove, all'estremità più lontana, si trovava una specie di nicchia in cui era stata disposta una grande poltrona. Pesanti tendaggi di velluto nero erano stati sistemati in modo da poter essere tirati davanti a quella nicchia, lasciandola completamente divisa dal resto della stanza. C'era Elise, intenta a predisporre tutto per la seduta. Aveva sistemato due sedie e un tavolino rotondo vicino alla nicchia. Sul tavolino c'erano un tamburello, un corno e un po' di carta con qualche matita.

« L'ultima volta » mormorò Elise con torva soddisfazione. « Ah, monsieur, come vorrei che fosse già tutto fatto e finito! »

Si udì lo stridulo tintinnio di un campanello elettrico.

« Eccola, quella donna che sembra un grosso *gendarme* » continuò l'anziana domestica. « Perché non è capace di andare in una chiesa a pregare con un po' di decenza per quella povera animuccia, perché non offre una candela alla Vergine benedetta? Possibile che il buon

Dio non sappia cos'è il meglio per noi? »

« Andate a rispondere al campanello, Elise » disse Raoul in tono perentorio.

Lei gli lanciò un'occhiata, ma ubbidì. Dopo poco, rientrò precedendo una visitatrice.

« Vado ad avvertire la mia padrona che siete arrivata, madame. »

Raoul si fece avanti a stringere la mano a madame Exe. Le parole di Simone gli tornarono alla memoria. "Così grossa e così nera."

Era un donnone e il severo, strettissimo lutto dei francesi sembrava quasi esagerato, nel suo caso. Quando parlò, la sua voce risuonò singolarmente profonda.

« Temo di essere un po' in ritardo, monsieur. »

« Pochi minuti soltanto » disse Raoul sorridendo. « Madame Simone è andata a riposare. Purtroppo, mi spiace di dover dire che non sta affatto bene, è molto nervosa e affaticata. »

La mano di lei, che si stava ritirando, si richiuse improvvisamente intorno a quella di Raoul come una morsa.

« Ma farà la seduta? » domandò con vivacità.

« Oh, sì, madame. »

Madame Exe proruppe in un sospiro di sollievo e si abbandonò su una sedia, slacciando il nodo di uno dei pesanti veli neri che le fluttuavano intorno.

« Ah, monsieur » mormorò « non potete immaginare, non potete concepire la meraviglia e la gioia che mi danno queste *séances*! La mia piccina! La mia Amelie! Vederla, udirla, perfino... sì, forse... perfino aver la possibilità... di allungare una mano e di toccarla. »

Raoul parlò, ribattendo con prontezza, perentorio. « Madame Exe... come posso spiegare?... non dovete fare assolutamente nulla a meno che non ne riceviate espresso invito da me, altrimenti esiste un pericolo gravissimo! »

« Pericolo? Per me? »

« No, madame » disse Raoul, « per la medium. Dovete comprendere che i fenomeni che avvengono qui hanno una determinata spiegazione scientifica. Cercherò di chiarirlo semplicemente, senza usare termini tecnici. Uno spirito, per manifestarsi, deve servirsi della materia solida della medium. Avete osservato il vapore del fluido che esce dalle labbra della medium. Questo, alla fine, si condensa ed assume l'aspetto fisico del corpo morto dello spirito. Però siamo convinti che questo ectoplasma sia, in realtà, la materia reale e sostanziale di cui è composta la medium. Speriamo di poterlo dimostrare un giorno mediante prove accurate, anche di peso... ma la grossa difficoltà è costituita dal pericolo e dalla sofferenza che sono sempre presenti per la medium nell'affrontare questi fenomeni. Se qualcuno osasse afferrare bruscamente la sostanza che si è materializzata, il risultato sarebbe la morte istantanea della medium. »

Madame Exe lo ascoltò con profonda attenzione.

« È molto interessante, monsieur. Ditemi: arriverà un momento in cui la sostanza che si è materializzata potrà staccarsi dalla medium, che l'ha generata? »

« Non sono congetture fantastiche, queste, madame? »

Lei insistette. « Ma, sulla base dei fatti, non sarebbero impossibili, vero? »

« Oggi sono del tutto impossibili. »

« Ma, forse, in futuro? »

Simone, entrando in quell'istante, gli risparmiò una risposta. Aveva l'aria languida e pallida ma, evidentemente, era riuscita a riacquistare il completo controllo di sé. Si fece avanti e strinse la mano a madame Exe, per quanto Raoul notasse che, facendo quel gesto, era attraversata da un leggero brivido.

« Mi spiace di sentire, madame, che siete indisposta » disse madame Exe.

« Non è niente » rispose Simone piuttosto bruscamente. « Vogliamo cominciare? »

Andò verso la nicchia e sedette in poltrona. Improvvisamente Raoul si sentì cogliere da un'ondata di paura.

« Non sei forte abbastanza » esclamò. « Sarà meglio rinunciare alla *séance*. Madame Exe capirà. »

« Monsieur! »

Madame Exe si alzò indignata.

« Sì, sì, è meglio rinunciare ne sono sicuro. »

« Madame Simone mi aveva promesso un'ultima seduta. »

« Infatti » confermò Simone con voce pacata, « e sono pronta a mantenere la mia promessa. »

« Vi obbligo a mantenerla io! » disse l'altra.

« Non manco mai alla parola data » disse Simone freddamente. « Non temere, Raoul » aggiunse con gentilezza « in fondo, è per l'ultima volta... l'ultima volta, grazie a Dio. »

A un suo segno, Raoul tirò, chiudendoli, i pesanti tendaggi neri in modo da nascondere la nicchia. Chiuse anche le tende alla finestra in modo che la stanza si trovasse nella semi-oscurità. Poi indicò una sedia a madame Exe e si accinse a occupare l'altra.

« Perdonatemi, monsieur ma... capirete! Io credo fermamente nella più completa integrità morale vostra e in quella di madame Simone. Ma, al tempo stesso, affinché la mia testimonianza sia ancor più valida, mi sono presa la libertà di portare questo con me. »

Ed estrasse dalla borsetta un rotolo di cordicella sottilissima.

« Madame! » gridò Raoul. « Questo è un insulto! »

« Una precauzione. »

« Ripeto che è un insulto. »

« Non comprendo la vostra obiezione, monsieur » disse freddamente madame Exe. « Se non c'è trucco, non avete nulla da temere. »

Raoul scoppiò in una risata sprezzante. « Posso garantirvi che non ho nulla da temere, madame. Legatemi pure, mani e piedi, se così volete! »

Il suo discorsino non produsse l'effetto sperato, perché madame Exe si limitò semplicemente a mormorare con aria impassibile:

« Grazie, monsieur » e gli si avvicinò con il gomitolo di cordicella.

Improvvisamente Simone, dietro ai tendaggi, proruppe in un grido.

« No, no, Raoul, non lasciarglielo fare. »

Madame Exe ebbe una risatina ironica. « Madame ha paura » osservò in tono sarcastico.

« Sì, ho paura. »

« Bada a quello che dici, Simone » esclamò Raoul. « Madame Exe, a quanto sembra, è sotto l'impressione che siamo dei ciarlatani. »

« Devo semplicemente essere sicura » disse madame Exe con aria corrucciata.

E si accinse metodicamente a legare Raoul alla sedia dov'era seduto, in modo che non potesse muoversi.

« Devo congratularmi con voi per i vostri nodi, madame » osservò lui, ironico, quando la donna ebbe finito. « Adesso siete soddisfatta? »

Madame Exe non rispose. Si mosse per la camera, osservando attentamente il rivestimento di *boiserie* alle pareti. Infine diede un giro di chiave alla porta che dava in anticamera e, togliendola dalla toppa, tornò alla propria sedia.

« E adesso » disse con voce indescrivibile, « sono pronta. »

I minuti passarono. Da dietro i tendaggi il suono del respiro di Simone si fece sempre più rumoroso e stentoreo. Poi si spense del tutto, e seguì una serie di gemiti. Infine ci fu ancora un breve silenzio, poi il rumore assordante del tamburello. Il corno venne sollevato dal tavolino e scaraventato al suolo. Si udì una risata ironica. Sembrò che i tendaggi che coprivano la nicchia si fossero socchiusi lievemente e, dalla fessura, si poté intravvedere la figura della medium che – adesso – aveva la testa reclinata sul petto. D'un tratto, madame Exe trattenne il fiato con un sussulto. Un fiotto di nebbia, simile a un lungo nastro stava uscendo dalle labbra della medium. Si condensò e, gradualmente, cominciò ad assumere una forma, quella di una figura di bambina.

« Amelie! Mia piccola Amelie! »

Il rauco sussurrio era uscito dalle labbra di madame Exe. La figura nebulosa si condensò maggiormente. Raoul la fissava quasi incredulo. Mai, mai, c'era stata una materializzazione più riuscita di questa! Perché ora, certo, quella che stava lì, davanti a lui, era una bambina vera, una bambina in carne ed ossa.

« Maman! » disse la dolce voce infantile.

« Piccina mia! » gridò madame Exe. « Piccina mia. » E fece per alzarsi dalla sedia.

« Badate a quello che fate, madame » la ammonì impetuosamente Raoul.

La materializzazione venne avanti con cautela, uscendo dai tendaggi. Era una bambina. Si fermò e tese le braccia.

« Maman! »

« Ah! » gridò madame Exe. E ancora una volta fece per alzarsi dalla sedia.

« Madame! » gridò Raoul allarmato. « La medium... »

« Devo toccarla » esclamò madame Exe con voce rauca.

E fece un passo avanti.

« Per amor di Dio, madame, controllatevi » esclamò Raoul.

Adesso era preoccupato sul serio.

« Sedete! Immediatamente! »

« Piccolina mia! Devo toccarla! »

« Madame, ve lo ordino, sedete! »

Stava contorcendosi disperatamente, legato com'era. Ma madame Exe era stata abile quando lo aveva legato e Raoul si accorse di non poter muovere un dito. Si sentì sommergere da una spaventosa sensazione: era come se un'immane tragedia stesse per colpirlo.

« In nome di Dio, madame, sedetevi! » gridò. « Ricordatevi della medium! »

Madame Exe non gli prestò attenzione. Sembrava trasformata. Sulla sua faccia appariva chiaramente un'espressione di estasi e di esaltazione. La sua mano tesa toccò la minuscola figura che era ferma tra i tendaggi socchiusi. Dalla medium giunse un orribile lamento.

« Mio Dio! » esclamò Raoul. « Mio Dio! Ma è tremendo! La medium... »

Madame Exe si voltò a guardarlo con una risataccia.

« Cosa volete che me ne importi della medium! » urlò. « Voglio la mia bambina. »

« Siete pazza! »

« La mia bambina, vi dico! Mia! Mia carne, mio sangue! La mia piccolina che torna dai morti, vive! E respira, anche! »

Raoul aprì le labbra ma nessuna parola ne uscì. Era terribile, quella donna! Senza rimorso, spietata, tutta presa dalla sua passione. Le labbra della piccina si aprirono e per la terza volta riecheggiò la stessa parola:

« Maman! »

« E allora, vieni, piccolina! » gridò madame Exe.

Con un gesto improvviso prese la bambina fra le braccia. Da dietro i tendaggi giunse un grido, prolungato di profonda angoscia.

« Simone! » gridò Raoul. « Simone! »

Si accorse, ma senza prestar molta attenzione, che madame Exe gli passava davanti precipitosamente, apriva la porta, si allontanava con un passo che si faceva sempre più fievole giù per le scale.

Dall'altra parte dei tendaggi risuonò ancora quell'urlo terribile, acuto, prolungato – un urlo tale... come Rauol non l'aveva mai udito in vita sua! Poi si spense in una specie di gorgoglio, orrendo... E si udì il tonfo di un corpo che cadeva...

Raoul, agitandosi come un ossesso cercò di liberarsi dai legami che lo tenevano prigioniero. Con la forza della disperazione, riuscì a fare l'impossibile, e – con tutto il vigore che possedeva – strappò la cordicella che lo teneva legato. Mentre stava alzandosi dalla sedia, Elise si precipitò dentro, gridando: « Madame! ».

« Simone! » urlò Raoul.

Insieme, corsero a spalancare i tendaggi. Raoul indietreggiò barcollando.

« Mio Dio! » mormorò. « Rosso... tutto rosso... »

La voce di Elise si levò alle sue spalle, rauca, tremante.

« Così, madame è morta. È finita. Ma ditemi, monsieur, cosa è successo? Perché madame si è raggrinzita... perché è diventata la metà di quello che era? Cosa è successo qui dentro? »

« Non lo so » disse Raoul.

La sua voce si alzò, più acuta, in un grido.

« Non lo so. Non lo so. Ma credo... di impazzire... Simone! Simone! »

Asilo

La moglie del parroco sbucò dall'angolo della casa parrocchiale con una bracciata di crisantemi. Aveva qualche zolla di fertile terriccio del giardino attaccato alle suole delle scarpe robuste e non si era assolutamente accorta che un po' di terra le macchiava anche la punta del naso.

Faticò un pochino ad aprire il cancello della casa parrocchiale, che penzolava, arrugginito, dai cardini rotti. Una folata di vento si accanì contro il vecchio cappello di feltro sbertucciato che portava e gli diede un'inclinazione ancora più sbarazzina di prima. « Uffa! » disse Bica.

Battezzata da genitori ottimisti con il nome di Diana, la signora Harmon era diventata "Bica" per ragioni abbastanza evidenti e il soprannome, da allora, le era sempre rimasto. Stringendo al petto i crisantemi, oltrepassò il cancello avviandosi verso il cimitero e la chiesa.

L'aria di novembre era mite e umida. Le nuvole galoppavano per il cielo che si apriva qua e là in qualche chiazza di azzurro. Dentro, la chiesa era buia e fredda; non la riscaldavano mai all'infuori dell'ora delle funzioni.

« Brrrrh! » esclamò Bica in tono espressivo. « Devo sbrigarmi. Non voglio morire di freddo. »

Con la sveltezza data dalla lunga pratica, raccolse tutto l'armamentario che le occorreva: vasi, acqua, sostegni per i vasi. "Mi sarebbero piaciuti i gigli", pensò Bica tra sé. "Sono così stanca di questi striminziti crisantemi!" Le sue dita agili sistemarono i fiori nei vasi.

Non c'era niente di particolarmente originale o artistico in quella decorazione perché Bica Harmon, personalmente, non era né originale né artistica, di temperamento; però il risultato fu una disposizione simpatica e piacevole. Portando i vasi con cautela, avanzò per la navata dirigendosi verso l'altare. In quel momento il sole uscì dalle nuvole.

Entrò risplendente dal finestrone orientale dai vetri colorati in tonalità piuttosto crude – in gran parte blu e rossi – dono di un facoltoso vittoriano, assiduo frequentatore dei servizi religiosi. L'effetto era quasi sorprendente nell'improvvisa opulenza del suo fulgore. "Come gioielli" pensò Bica. Improvvisamente si fermò, con gli occhi fissi davanti a sé. Sui gradini del coro era accasciata una forma scura.

Posando cautamente i fiori, Bica le si avvicinò e si chinò di fianco. Era un uomo, rannicchiato su se stesso. Bica si inginocchiò e lentamente, con molta cura, lo voltò. Le sue dita corsero subito al polso... un polso talmente debole e irregolare che diceva già tutta la sua storia, come, del resto, il pallore quasi verdastro del suo viso.

“Costui” pensò Bica, “stava per morire, non c’erano dubbi.”

Si trattava di un uomo sui quarantacinque anni, e portava un vestito scuro, piuttosto malandato. Bica riappoggiò la mano che aveva sollevato e guardò l’altra, la quale pareva chiusa a pugno sul petto. Osservandola più attentamente, vide che le dita erano strette intorno a ciò che sembrava un grosso fagotto o fazzoletto che si comprimeva con forza contro il petto. Tutt’intorno alla mano contratta c’erano chiazze di un liquido scuro, indurito che, intuì Bica, doveva essere sangue disseccato. Bica sedette sui calcagni, aggrottando le sopracciglia.

Fino a quel momento gli occhi dell’uomo erano rimasti chiusi ma adesso si spalancarono improvvisamente e si fissarono sulla faccia della donna. Non erano né velati né deliranti. Sembravano, invece, intelligenti e pieni di vita. Le sue labbra si mossero e Bica, chinandosi su di lui, cercò di cogliere le parole, o meglio la parola, che voleva dire. Fu una sola:

« Asilo. »

Le parve addirittura che un lieve sorriso si disegnasse sulle sue labbra quando mormorò fievolmente questa parola. Era impossibile sbagliarsi, poiché dopo un momento, la disse ancora « Asilo... »

Infine, con un debole, lunghissimo sospiro, richiuse gli occhi. Di nuovo le dita di Bica gli cercarono il polso. Sì, batteva ancora, per quanto fosse diventato più debole e intermittente. Si rialzò con decisione.

« Non muovetevi » disse « e non cercate di

fare neanche un gesto. Vado a cercare aiuto. »

Gli occhi dell'uomo si aprirono di nuovo ma adesso diede l'impressione che la sua attenzione fosse stata attirata dalla luce dai mille colori che filtrava dal finestrone orientale. Mormorò qualcosa che Bica non riuscì a capire bene. Le parve, e se ne stupì, che fosse il nome del proprio marito.

« Julian? » disse. « Siete venuto qui a cercare Julian? » Ma non ci fu risposta. L'uomo aveva rinchiuso gli occhi e il suo respiro, adesso, era corto e superficiale.

Bica si voltò e uscì in fretta dalla chiesa. Diede un'occhiata all'orologio e annuì soddisfatta. Il dottor Griffith doveva essere ancora nel suo ambulatorio. A due minuti di cammino dalla chiesa. Ci entrò, senza perder tempo a bussare o a suonare, passò dalla sala d'aspetto ed entrò nello studio del medico.

« Venite subito » gli disse. « In chiesa c'è un uomo che sta per morire. »

Pochi minuti più tardi il dottor Griffith, inginocchiato sull'impiantito, si rialzò dopo aver esaminato rapidamente l'uomo.

« Possiamo trasportarlo nella casa parrocchiale? Potrei assisterlo meglio... per quanto temo che non servirà molto. »

« Certo » disse Bica. « Vado a preparare tutto. Chiamo Harper e Jones, eh? Per aiutarvi a trasportarlo. »

« Grazie. Io telefonerò dalla casa parrocchiale per un'ambulanza, ma temo... che quando arriverà... » e lasciò la frase a mezzo.

Bica chiese: « Emorragia interna? ».

Il dottor Griffith annuì. Poi disse: « Come accidenti ha fatto a entrare qui dentro? ».

« Secondo me, dev'esserci rimasto tutta la notte » disse Bica, dopo averci pensato un momento. « Harper apre la porta al mattino quando va al lavoro ma, di solito, non ci entra mai. »

Forse non erano passati neppure cinque minuti quando il dottor Griffith depose il microfono e tornò nel piccolo locale di soggiorno dove il ferito era stato adagiato su un mucchio di coperte preparate in tutta fretta ad accoglierlo sul divano. Bica stava portando via una catinella d'acqua e riordinando la stanza, dopo che il medico aveva esaminato lo sconosciuto.

« Bene, tutto fatto » disse Griffith. « Ho chiamato l'ambulanza e ho avvertito la polizia. » Restò un momento, aggrottato, a osservare il paziente, disteso con gli occhi chiusi. Si toccava ripetutamente con un gesto nervoso e spasmodico la giacca con la mano sinistra, lungo il fianco.

« Gli hanno sparato » disse Griffith. « E a distanza ravvicinata. Allora lui ha appallottolato il fazzoletto e se ne è servito come di un tampone per fermare il sangue che usciva dalla ferita. »

« Può aver camminato molto, dopo quello che gli è successo? » domandò Bica.

« Oh, sì, non è da escludere che abbia camminato parecchio. C'è stato il caso di un uomo, ferito mortalmente, il quale si è rialzato e ha continuato a camminare per la strada come se niente fosse successo, e lo si è visto stramazzare improvvisamente al suolo cinque o dieci minuti dopo. Quindi non è da escludere che sia stato colpito fuori dalla chiesa. Sì, certo. E può essere successo a una certa distanza. Naturalmente, potrebbe anche essere stato lui stesso a spararsi un colpo. Nel qual caso avrà lasciato cadere la rivoltella, e ha continuato a camminare, barcollando, senza più sapere dove andava, fino alla chiesa. Però non riesco a capire perché si è diretto verso la chiesa, piuttosto che verso la casa parrocchiale. »

« Oh, questo lo so io! » disse Bica. « Ha pronunciato una parola: "Asilo". »

Il dottore la fissò sbarrando gli occhi. « Asilo? »

« Ecco Julian! » disse Bica, voltando la testa non appena udì il passo del marito in anticamera. « Julian! Vieni qui. »

Il reverendo Julian Harmon entrò nella stanza. Il suo modo di fare da studioso, assorto e distratto, lo faceva giudicare molto più anziano di quanto non fosse in realtà. « Povero me! » disse Julian Harmon, fissando con occhi miti e perplessi gli strumenti chirurgici e la figura adagiata sul divano.

Sua moglie gli spiegò l'accaduto con l'abituale economia di parole. « Era in chiesa, morente. Gli hanno sparato. Lo conosci, Julian? Mi pare di avergli sentito pronunciare il tuo nome. »

Il parroco si avvicinò al divano e abbassò gli occhi sull'agonizzante. « Poverino » disse e scosse la testa. « No, non lo conosco. Sono quasi certo di non averlo mai visto prima d'ora. »

In quell'attimo gli occhi del morente si aprirono ancora una volta. Passarono dal dottore a Julian Harmon e da questo a sua moglie. E qui si fermarono, sbarrati, sulla faccia di Bica. Griffith si fece avanti.

« Se poteste dirci? » domandò ansioso.

Ma, con gli occhi fissi sulla moglie del parroco, l'uomo disse con voce debolissima: « Per piacere... *per piacere...* » Poi fu scosso da un lieve tremito, e morì...

Il sergente Hayes leccò la punta della matita e voltò una pagina del suo taccuino.

« Così, questo è tutto ciò che potete dirmi, signora Harmon? »

« Sì, tutto » rispose lei. « Ecco gli oggetti che abbiamo tirato fuori dalle tasche del suo cappotto. »

Su un tavolo, vicino al sergente Hayes, c'erano un portafoglio, un vecchio orologio piuttosto ammaccato con le iniziali W.S. e un biglietto ferroviario di ritorno a Londra. Nient'altro.

« Avete scoperto di chi si tratta? » domandò Bica.

« Certi signori Eccles hanno telefonato su, in ufficio. Sembra si tratti del fratello di lei. Sandbourne, è il nome. Da qualche tempo non stava bene di salute e soffriva di esaurimento nervoso. Ultimamente era peggiorato. L'altro ieri è uscito di casa e non è più rientrato. Ha portato con sé una pistola. »

« E poi è venuto qui e si è sparato un colpo? » disse Bica. « Perché? »

« Soffriva di depressione... »

La signora Harmon lo interruppe. « Non era questo che volevo dire. Chiedevo perché proprio qui? »

Poiché il sergente Hayes non sapeva la risposta a questa domanda, rispose indirettamente:

« È arrivato, questo lo sappiamo, con l'autobus delle diciassette e dieci. »

« Sì » ripeté lei di nuovo. « Ma *perché*? »

« Non lo so, signora Harmon » disse il sergente Hayes. « Su questo, non ci sono spiegazioni. Se viene a mancare l'equilibrio mentale... »

Bica finì la frase per lui. « ... una persona può fare qualsiasi cosa. Però mi sembra inutile prendere un autobus e venire in un posto di campagna come questo. Non ci conosceva nessuno, vero? »

« No, per quel che si è potuto controllare finora » disse il sergente Hayes. Tossì imbarazzato e disse, mentre si alzava in piedi: « Non è da escludere che i signori Eccles vengano qui a farvi visita, signora... se non avete niente in contrario, naturalmente. »

« Certo che non ho niente in contrario! » disse Bica « È più che naturale. Vorrei soltanto aver qualcosa da dire a queste persone! »

« Allora io me ne vado » disse il sergente Hayes.

« Come sono confortata » disse Bica, accompagnandolo alla porta « di sapere che non si tratta di un assassinio! »

Un'automobile si fermò al cancello della casa parrocchiale. Il sergente Hayes, dopo averle lanciato un'occhiata osservò: « Sembra che i signori Eccles stiano arrivando adesso, signora. Vorranno parlarvi. »

Bica si fece forza: sapeva di doversi preparare a quella che, molto probabilmente, sarebbe stata una prova difficile. "A ogni modo", pensò, "posso sempre chiamare Julian perché venga a darmi un po' di sostegno. Un sacerdote è sempre di grande aiuto quando la gente ha subìto un lutto."

Non avrebbe saputo dire, in realtà, come si aspettava che fossero il signore e la signora Eccles, tuttavia si accorse, mentre li salutava, di provare una certa sorpresa. Il signor Eccles era un uomo corpulento e florido con un modo di fare che, di natura, doveva essere gioviale e faceto. La signora Eccles era un tipo un po' appariscente. Aveva una bocca piccola, con le labbra strette in una smorfia antipatica. La sua voce era sottile e acuta.

« È stato uno shock terribile, signora Harmon, come potete immaginare » disse.

« Oh, capisco » disse Bica. « Certo che deve essere stato uno shock! Ma prego, accomodatevi. Posso offrire qualcosa... già, forse è un po' presto per una tazza di tè... »

Il signor Eccles agitò una mano tozza. « No, no, non prendiamo niente » disse. « Molto gentile da parte vostra, grazie. Volevamo semplicemente... ecco sapere che cosa ha detto il povero William e tutto il resto, eh? »

« È stato a lungo in giro per il mondo » disse la signora Eccles « e credo che abbia avuto parecchie esperienze molto sgradevoli. Da quando è tornato a casa, è sempre stato cupo, silenzioso, depresso. Diceva che questo era un mondo in cui non si poteva più vivere e che non offriva nessuna prospettiva futura. Povero Bill, è sempre stato di temperamento malinconico. »

La signora Harmon li fissò un minuto o due senza parlare.

« Ha rubato la pistola di mio marito » continuò la signora Eccles « senza che lo sapessimo. Poi, a quanto pare, è venuto qui con l'autobus. Suppongo che sia stato un pensiero delicato da parte sua. Forse ha preferito non farlo in casa nostra. »

« Poverino, poverino » disse il signor Eccles, con un sospiro. « Non sta a noi giudicarlo. »

Ci fu un'altra breve pausa e il signor Eccles disse ancora: « Ha lasciato un messaggio? Ha detto qualche parola in ultimo? Niente del genere? »

I suoi occhietti luccicanti, vagamente porcini, fissavano Bica con aria penetrante. Anche la signora Eccles si sporse un po' in avanti come se aspettasse ansiosamente la risposta.

« No » disse Bica in tono sommesso. « Venne in chiesa, quando stava per morire, in modo da ottenere asilo. »

La signora Eccles disse, con voce perplessa: « Asilo? Non riesco a capire bene... »

Il signor Eccles la interruppe. « Un posto sacro dà asilo, mia cara » ribatté in tono spazientito. « Ecco quel che vuole dire la moglie del parroco. È un peccato... il suicidio, lo sai. Suppongo che volesse chiedere perdono. »

« Cercò di dire qualcosa appena prima di spirare » disse Bica. « Cominciò con un "Per piacere" ma non riuscì ad andare oltre. » La signora Eccles si portò il fazzoletto agli occhi e tirò su col naso.

« Oh, poveri noi » disse. « È terribile, vero? »

« Su, su, Pam » disse il marito. « Non fare così. Purtroppo sono situazioni senza rimedio! Povero Willie. Comunque, adesso è in pace. Bene, grazie tante, signora Harmon. Spero che non vi avremo dato troppo disturbo. La moglie di un parroco è una signora molto affaccendata, lo sappiamo! »

Le strinsero la mano. Poi Eccles si voltò all'improvviso per dire: « Oh, a proposito, c'è ancora una cosa. Credo che sia rimasta qui la sua giacca, vero? »

« La sua giacca? » Bica aggrottò le sopracciglia.

La signora Eccles disse: « Vorremmo tutte le sue cose, sapete. Un po' sentimentale, forse, da parte nostra! ».

« Aveva un orologio e un portafoglio e un biglietto ferroviario nelle tasche » disse Bica. « Ho consegnato tutto al sergente Hayes. »

« Ah, allora va bene » disse il signor Eccles. « Immagino che ci darà lui tutte queste cose. I suoi documenti personali e le sue carte saranno nel portafoglio. »

« C'era soltanto un biglietto da una sterlina, niente altro » disse Bica.

« Nessuna lettera? Niente del genere? »

Bica scosse la testa.

« Bene, grazie ancora, signora Harmon. La giacca che indossava... forse avrà il sergente anche quella? »

Bica aggrottò le sopracciglia nello sforzo di ricordare.

« No » disse. « Non credo... lasciatemi pensare. Il dottore e io gli abbiamo tolto la giacca per esaminare la ferita. » Si guardò intorno, per la stanza, con aria incerta. « Devo averla portata di sopra con gli asciugamani e la catinella. »

« Adesso, signora Harmon, se non vi dispiace, vorrei domandarvi ancora... Ecco, avremmo piacere di riprenderci la giacca, sapete... l'ultima cosa che indossò. Vedete, mia moglie, in questo, è un po' sentimentale. »

« Oh, naturalmente » disse Bica. « Non vorreste che ve la ripulissi un pochino, prima? Temo che sia... be'... piuttosto macchiata. »

« Oh, no, no, no, non ha importanza. »

Bica corrugò la fronte. « Adesso mi chiedo dove... scusatemi un momento. » Salì al piano di sopra e passò qualche minuto prima che tornasse.

« Mi spiace di avervi fatto attendere » disse ansante « ma la mia donna, che viene a ore, deve averla messa insieme a un mucchio di altra roba da mandare in tintoria. Così ci ho impiegato un mucchio di tempo a scovarla. Eccola. Adesso ne faccio un pacchetto con un bel po' di carta robusta. »

Senza badare alle loro proteste, eseguì ciò che aveva detto; poi, dopo essersi profusi in altri ringraziamenti e molte parole di saluto, gli Eccles si accomiatarono.

Bica attraversò a passo lento l'anticamera ed entrò nello studio. Il reverendo Julian Harmon alzò gli occhi e la sua fronte corrugata, si fece più distesa. Stava preparando un sermone e temeva di essersi lasciato trasportare fuori tema dall'interesse per le relazioni politiche fra Giudea e Persia durante il regno di Ciro.

« Sì, cara » disse incoraggiante.

« Julian » disse Bica « che cosa significa esattamente *asilo*? »

Julian Harmon, pieno di gratitudine per l'interruzione, mise da parte i fogli sui quali stava scrivendo il sermone.

« Be' » disse « il nostro termine *asilo* inglese corrisponde alla parola "santuario" dei greci e dei romani: si trattava, cioè, di quella parte del tempio in cui si trovava la statua di una divinità. La parola latina *ara*, che vuol dire "altare", possiede anche il significato di "protezione". » Poi continuò, con il tono dello studioso: « Nel 399 d.C. venne definitivamente riconosciuto alle chiese cristiane il diritto di asilo. La prima volta che si fa menzione di questo *diritto di asilo* in Inghilterra è nel Codice di Leggi emanato da Etelberto nel 600 d.C. ... »

E continuò ancora per un po' la sua esposizione. Ma, come capitava spesso, restò sconcertato dal modo in cui sua moglie accolse tanto spreco di erudizione.

« Tesoro » disse lei « sei adorabile. »

E chinandosi su di lui, gli baciò la punta del naso. Julian, invece, provò la vaga impressione di essere un cagnolino elogiato per aver eseguito con bravura un giochetto difficile.

« Sono venuti gli Eccles » disse Bica.

Il parroco aggrottò le sopracciglia. « Gli Eccles? Non mi pare di ricordare... »

« Non li conosci. Sono la sorella e il cognato dell'uomo che abbiamo trovato in chiesa. »

« Avresti dovuto chiamarmi, cara. »

« Non è stato assolutamente necessario » disse lei. « Non avevano affatto bisogno di consolazio-

se stesse meditando fra sé. « Probabilmente fece togliere le pietre dalla montatura e le dispose, qua e là, sui costumi che indossava in scena, di modo che chiunque le avrebbe prese semplicemente per strass o pietre false e colorate. Poi si fece fare una copia della collana autentica: fu questa copia, naturalmente, ad essere rubata! Non c'è da meravigliarsi che non sia più riapparsa sul mercato! Il ladro scoprì quasi subito che le pietre erano false. »

« Qui c'è una busta » disse Bica, scostando qualcuna di quelle pietre luccicanti.

L'ispettore Craddock gliela prese di mano e ne estrasse due fogli che avevano l'aspetto di documenti ufficiali. Poi lesse ad alta voce: « "Certificato di matrimonio fra Walter Edmund St. John e Mary Moss". Questo era il vero nome di Zobeida. »

« Così erano sposati » disse Miss Marple. « Capisco. »

« E l'altro foglio cos'è? » domandò la signora Harmon.

« Un certificato di nascita, di una bambina: Jewel. »

« Jewel! » gridò Bica. « Ma sì, certo. Jewel come "gioiello"! *Jill*! Ecco. Adesso capisco perché è venuto a Chipping Cleghorn. Ecco cosa cercava di dirmi. Jewel. I Mundy, sapete. Laburnam Cottage. Allevano una bambina per incarico di qualcuno. L'adorano. La considerano una nipotina. Sì, adesso mi ricordo che il suo nome era Jewel, solo che i Mundy la chiamano Jill.

« La signora Mundy ha avuto un colpo la settimana scorsa e il vecchio è stato malatissimo, ha la polmonite. Dovranno essere ricoverati tutti e due in un cronicario. Io sto cercando disperatamente di trovare una buona casa per Jill in qualche posto. Non volevo che la mandassero in un orfanotrofio.

« Suppongo che il padre lo abbia saputo, in prigione, e sia riuscito a evadere e a ricuperare la valigia, lasciata in deposito presso la vecchia addetta ai costumi da lui stesso o da sua moglie. Immagino che quei gioielli, se appartenevano realmente alla sua mamma, adesso potranno essere usati per la bambina. »

« Lo direi anch'io, signora Harmon. *Se sono qui.* »

« Oh, ci sono di sicuro » esclamò Miss Marple con aria giuliva.

« Grazie a Dio sei tornata, cara » disse il reverendo Julian Harmon salutando la moglie con affetto e un respiro di sollievo. « La signora Burt cerca sempre di fare del suo meglio quando tu non ci sei, ma devo dire che, a pranzo, mi ha servito certe polpettine di pesce molto, molto strane. Non volevo offenderla così le ho date a Tiglash Pileser, ma non le ha volute mangiare *neanche lui* e allora sono stato costretto a buttarle fuori dalla finestra! »

« Tiglash Pileser » disse Bica accarezzando il gatto di casa che faceva le fusa, strofinandosi contro il suo ginocchio « è molto schizzinoso in fatto di pesce. Glielo dico sempre che ha lo stomaco troppo delicato! »

« E il tuo dente, cara? Sei riuscita a farlo vedere? »